< SÉRIE QR >

N° 70

DU MÊME AUTEUR

Polaroïds, Québec Amérique, 2006

CHANSON FRANÇAISE

Le Quartanier Éditeur
4418, rue Messier
Montréal (Québec) H2H 2H9
www.lequartanier.com

SOPHIE LÉTOURNEAU

CHANSON FRANÇAISE

roman

LE QUARTANIER

L'auteure tient à remercier le Conseil des arts
et des lettres du Québec (CALQ) pour l'aide financière octroyée.

Le Quartanier remercie de leur soutien financier
le Conseil des Arts du Canada
et la Société de développement des entreprises
culturelles du Québec (SODEC).

Gouvernement du Québec – Programme de crédit d'impôt
pour l'édition de livres – Gestion SODEC.

Le Quartanier reconnaît l'aide financière
du gouvernement du Canada
par l'entremise du Fonds du livre du Canada
pour ses activités d'édition.

—

Diffusion au Canada : Dimedia
Diffusion en Europe : La librairie du Québec (DNM)

—

Dépôt légal, 2013
Bibliothèque et Archives nationales du Québec
Bibliothèque et Archives Canada

ISBN : 978-2-89698-084-0

À W. A.

Rendez-vous au Waldorf Astoria

Béatrice

Sur la rue Rachel, tu fonçais, tête penchée derrière ta frange coupée court. À vélo, tu voulais aller vite. C'était oublier tes pneus dégonflés par l'hiver. Au feu rouge, tu as posé les pieds sur l'asphalte et tu as replacé ton capuchon sur ta tête. Dans l'attente, tu as plongé la main dans le cageot de lait fixé derrière ton siège comme pour t'assurer que tout était en place. Tu n'avais pourtant rien laissé, ni sac à dos ni sac d'épicerie. Tu as tâté le vide comme on cherche un objet perdu pour trouver son absence. Vert, tu t'es donné l'élan d'un coup de pédales et tu es repartie, ta force contre le vent.

Tu venais d'emménager sur la rue Christophe-Colomb, dans un grand appartement que tu partageais avec deux filles de ton programme. À ton arrivée, les murs étaient peints de couleurs vives, les moulures contrastant. Dans le salon, Amélie Poulain faisait figure de Joconde. Le garçon à qui tu prenais la chambre t'avait laissé son drapeau du Québec et sa collection de bouteilles de bière, que tu as mises, une à une, dans le bac de récupération. Au fond de ta garde-robe, tu as empilé cotons ouatés, t-shirts usés, jeans échevelés et Converse trouées. Dans le tiroir de ta commode, tu as jeté tes sous-vêtements blancs. Tu as installé ton matelas au sol, tu t'es laissée tomber et tu as souri : tu n'habitais plus chez tes parents. Pour toi, la vie commençait. Tu avais dix-neuf ans.

Ta sœur, pourtant plus vieille, commencerait ses études en même temps que toi. L'été suivant le cégep, elle était partie faire les vendanges, mais ne s'était, en fait, arrêtée en France que le temps de prendre sa correspondance vers l'Asie. Quand il avait su, votre père s'était emporté. Elle le faisait exprès, Véro dépassait toujours les limites. Votre mère n'avait rien ajouté. Pendant deux ans, vous n'aviez reçu d'elle qu'une photographie sur laquelle on la voyait devant une yourte et trois chevaux paissant. Véro était assise à l'indienne dans une robe noire, col Mao, ceinturée à la taille. Noué en turban, un foulard rouge filé d'or cachait ses cheveux longs. Près d'une cafetière en fer-blanc, vous avez reconnu sa grande besace. Son visage, on ne le distinguait pas, tant le photographe se tenait à distance. Mais on voyait très bien le vert des montagnes de Mongolie derrière. Ta sœur savait ce qu'elle voulait. Au retour de Dorval, votre père avait gardé le silence dans l'auto. Ce ne serait qu'en tirant le frein à main devant la maison qu'il se tournerait vers elle : « Alors ? » Elle avait répondu qu'elle irait étudier en pharmacologie. À son entrée au baccalauréat, elle aurait vingt-deux ans.

À la fin de vos stages, tes colocataires sont parties. Une école du Plateau t'a embauchée comme enseignante d'une classe de première année. Cela t'allait ; tu préférais les petits. À eux, tu pouvais tout apprendre : lire, écrire, compter. Plus tard, ils se souviendraient de toi comme de leur première maîtresse. Pour pouvoir te rendre à l'école en bicyclette, tu as gardé ton cinq et demi. Tu quitterais tes planchers pas au niveau le jour où tu annoncerais la venue d'un bébé. Dans la petite pièce, tu as rangé ton vélo. Pour le reste, ton père et toi avez plâtré les trous et peint les murs en blanc. Tu avais vingt-quatre ans.

Tu avais connu quelques garçons. *Des bons gars,* on disait. De ceux qui font leur possible pour voir leur blonde sourire. À l'heure de manger, on leur donnait toujours la part du lion. Tu n'avais rien à leur reprocher, mais aucune de ces histoires n'avait duré. Il y avait longtemps que tu étais célibataire. Si longtemps que tu te prenais à rêver quand tu entendais des chansons d'amour à l'épicerie. Venue acheter une boîte de céréales, tu en profitais pour jeter un coup d'œil à l'allée des surgelés dans l'espoir d'y rencontrer l'homme de ta vie. Il n'était jamais là. Mais un jour, chantais-tu, un jour ton prince viendra.

Tu avais vingt-six ans quand ta sœur a cru de son devoir de forcer le destin. Tu t'ennuyais tellement que tu parlais de refaire ta vie à Londres. Ou à Paris.

C'était une autre de tes histoires, avait-elle présumé. Voir si tu quitterais Montréal. Le jour où tu as évoqué un échange avec une enseignante en France, elle a cillé des yeux avant de reprendre une gorgée de thé. Le plan était concret. À moins d'une histoire d'amour, tu t'en irais.

Mais Montréal cachait sûrement un homme de bonne volonté. Trois jours plus tard, Maité était sur le coup. Justement, dirait-elle à ta sœur. Elle connaissait un Français qui était *à la recherche*. Tout indiquait qu'il s'établissait au Québec pour de bon. Il avait trente-cinq ans.

C'est alors que l'histoire a commencé.

I

PRINTEMPS

Car le temps de l'amour
C'est long et c'est court
Ça dure toujours
On s'en souvient

FRANÇOISE HARDY

LE PRINTEMPS DE TRÈS PRÈS

Quand tu l'as vu pour la première fois, tu savais que vous seriez de connivence. Quelque chose dans son regard semblait te chercher sans le savoir. Il parlait, butinait, en posant, là, un bras, quand il passait trop vite. Dans sa maille d'été au col élimé, tu pensais qu'il avait un drôle d'air, des joues d'os et des yeux tristes, jusqu'à ce qu'il te voie. Alors il s'est arrêté de parler pour lever son menton vers toi. Ta sœur dirait qu'il t'avait attirée avec son sourire de Français.

Tu étais allée à la fête sans envie. Tu aurais préféré te caler dans le creux du divan en buvant un verre de whisky à l'érable, mais ta sœur refusait ta mélancolie.

— On s'amuse jamais autant que lorsqu'on veut pas.

— Mais j'ai rien à me mettre...

— Ta robe fonctionne encore !

À la rue, tu montrais ta robe couleur du ciel. Le rose était passé sans que cela n'empêche les vieux de s'émouvoir. Comme tu allais, ils se tournaient vers toi quand tu gardais la tête penchée vers ton cœur. Lorsqu'ils ne voyaient plus que tes bottes d'écolière et ta laine, ils soupiraient avant de t'oublier.

Dans la rue, on entendait le murmure d'un couple se berçant derrière le fer forgé du garde. Le bruit, le clapotis des conversations douces. Une automobile passer. Et tes talons claquer sur l'asphalte encore humide. Autour, les maisons défilaient de toutes les couleurs. La brique était pimpante, serin, crème ou bleu nuit. Il n'y avait encore rien aux arbres, mais les tulipes pointaient. Malgré toi, tu étais touchée par ce mélange de soleil et de neige qui fondait.

La grille de la cour avait été laissée ouverte. Tu avançais sous l'arc de la porte cochère en passant les doigts sur la peinture écaillée. On apercevait un peu à l'écart la baignoire à pattes remplie de bouteilles. Posés sur le sol, des lampions et des cierges illuminaient la cour. Le barbecue fumait. La viande s'empilait. Deux poules couraient avec les enfants. Jeff occupé à griller les saucisses, Maité s'est levée en te tendant les bras.

Elle avait les membres comme des lianes et les cheveux coupés à la manière des elfes. Elle se vêtait toujours comme si c'était l'entre-saison. Elle chantait un français tout à fait poli qu'elle mâtinait de joual. À Montréal, elle pratiquait le droit ou tenait une agence. Personne ne savait. Pas même ta sœur, qui savait tout. Elle s'était entichée de Jeff, sans que vous compreniez pourquoi. Comme ami, vous l'adoriez, mais Jeff n'était pas présentable. Déjà qu'il ne parlait pas, il avait adopté des lubies de vieux garçon. Dans sa cave, qu'il avait rénovée exprès, il faisait pousser des semis qu'il destinait à son projet de ferme urbaine. Depuis qu'il était avec Maité, c'était la Petite France montréalaise qu'il recevait chez lui : ingénieurs, commerciaux, directeurs de festival. Une petite société d'expatriés que Maité trouvait aux quatre coins de la ville comme des chiens perdus ou des coquillages dont elle ferait collection. Jeff se plaisait seul, mais Maité aimait la fête et le vin bu. Parler, crier, rire, s'offusquer et briller avec une générosité telle qu'elle restait entourée. Mais, quand elle te voyait, c'était subit, un réflexe, tu étais son cœur et sa beauté.

— Christophe !

Au fond de la cour, il s'entretenait avec un couple de jeunes parents. Il avait des yeux trop bleus et un visage aiguisé. Il portait ses cheveux un peu longs, cette coupe bon garçon qui sied bien aux Français, un veston marine, une chemise gris perle et une cravate dans les tons de bronze. Il avait l'œil mélancolique et ce piquant dans le sourire qui faisait qu'on voulait le connaître. Et tu l'as aimé pour cela. Tu l'aimerais dès le moment où il poserait sur toi ses yeux de chien-loup.

— Mais Christophe, enfin !

À l'impatience de Maité, il s'est arrêté de parler et son ironie douce a fondu sur le coup. Tu as sorti ton sourire des grands jours. Devant lui, ta vie s'est effacée comme devant l'évidence. Tu as oublié ton regret et les moments où tu avais pensé : « Plus jamais. » Peu importe ce qu'il te demanderait, tu saurais quoi répondre. Oui, rester. Oui, partir. Oui, le lit. Avec lui, c'était oui.

En feignant l'insouciance, Maité a saisi ta main pour te donner la sienne, échangeant vos prénoms et vous abandonnant, les mains emmêlées. Figés l'un devant l'autre, maladroits, vous vous êtes excusés de reprendre vos mains avant de vous faire la bise. Il a répété ton prénom en insistant sur le *i* quand les Québécois s'attardent sur le *a*. À l'accent et à sa chemise oxford, tu comprenais qu'il n'était pas d'ici. Il t'a répondu qu'il était, oui, Français, et ingénieur aussi.

— Et toi ?

— Moi ? Je suis plutôt ingénue.

— T'as fait les grandes écoles pour ça ?

Tu l'as regardé, l'arête de son nez et ses cils trop blonds. Tu l'as écouté, ses modulations, et tu as connu une joie comme il n'y en aurait plus. Tu as été d'autant plus charmée que tu ne l'avais pas voulue, cette soirée. Et maintenant tu sentais l'ivresse de lui parler. Un temps sans mot, le mousseux aidant, tu as baissé ton regard vers ta flûte avant qu'il ne s'aperçoive qu'il ne te restait qu'une goutte à boire. Il s'est excusé pour te revenir avec le vin blanc qu'il fallait.

Vous vous êtes parlé, détachés. Tu regardais sur le côté quand des amis ont reflué sur vous. Christophe s’enquérait à droite, à gauche ; il affectait de te parler comme à d’autres, mais son regard s’arrêtait longtemps d’un peu trop près. Et plus tu t’exclamais, plus il plaisantait, plus tu pétillais jusqu’à fléchir vers lui.

Les gens autour de vous savaient que la suite vous appartiendrait.

C’ÉTAIT UN DÉBUT

Quand il t’a demandé ton numéro, tu as eu le sourire de celle qui connaîtra la jouissance. Sur un bout de papier, tu as noté dix chiffres qu’il t’a regardée écrire avant de porter la main à sa poche. Son téléphone sonnait. Il t’a tourné le dos en faisant un geste. Vu l’heure et le secret, tu as pensé qu’il était déjà pris. Tu as passé tes doigts sur ta nuque, soupiré. Tu as fait la bise à Maité et tu as filé à l’anglaise. Dommage, as-tu pensé, il y avait longtemps que tu n’avais pas rencontré l’homme de ta vie.

Deux semaines plus tard, ton téléphone sonnerait. Tu ne reconnaissais pas cette voix. Il bégayait tant que tu ne comprenais rien. Dans ta tête défilaient les visages de ceux qui avaient l’habitude de te téléphoner. Lorsque tu as entendu l’accent parisien, tu as pensé au fils de bonne famille rencontré chez Maité. Tu as dit son prénom, un point d’interrogation dans la voix.

— Ha ! Tu te souviens ? Tu n'étais plus chez Maité quand je me suis retourné.

— Mais bien sûr, oui. C'est toi. Qu'est-ce qui t'arrive ?

— Je suis sur un contrat à New York. C'est pour ça que je t'ai pas appelée avant. Tu m'avais déjà oublié ?

Tu as fait semblant de le croire quand il t'a dit que sa mère l'aurait tué s'il avait raccroché. De toute manière, c'était fini avec *elle* puisqu'il pensait à toi. Puisqu'il tendait vers toi. La preuve, il t'avait téléphoné.

Quand tu dirais à ta sœur que Christophe t'avait appelée, elle ferait mine de ne pas se souvenir. Les pieds posés sur le garde-fou de son balcon, tu décrirais un homme dont les cheveux châtains tiraient sur le roux. Elle a opiné. Cela lui revenait, oui. Le style chemise, veste et souliers vernis.

— Oui, c'est lui. Il est parfait.

— C'est vrai. Mais il a mis deux semaines à te téléphoner.

Du haut de son troisième, vous contempliez les usines en briques du canal de Lachine. Véro avait acheté son condo pour la vue sur cette composition urbaine. On aurait dit que ta sœur était une fille de la construction. Lorsqu'elle ne s'ennuyait pas à compter des comprimés, Véro se rendait au Rona chercher une vis à tête plate, prise carrée, deux pouces de long. Parlant pin laminé, sableuse et grain (« du cent dix »), ta sœur s'était vite fait connaître des commis : elle était celle qu'on ne pouvait pas aider. Si elle s'amusait à dessiner des plans AutoCAD, Véro passait plus de temps à veiller sur tes plans de vie.

— Je suis pas impressionnée. En plus, il est Français.

— Justement, c'est parfait. Si ça marche, je pourrais le suivre en France.

— À ta place, je compterais pas là-dessus. Il repartira pas.

— On sait jamais.

— Mais oui, on le sait.

Dans l'attente de son retour, tu rêvassais, jambes dépliées, en te répétant qu'il était parfait. C'était le début de l'été. Tu n'avais pas encore de blessures aux pieds.

SES DOIGTS SUR SON COU

Il a rappelé une fois, deux et trois. Puis souvent. De New York, il a pris l'habitude de téléphoner *comme ça*. Tu n'avais pas le temps de penser qu'il tardait que le téléphone sonnait. Si tu n'étais pas là, il te le reprochait. Sur un ton à la fois traînant et enjoué, il disait que tu appartenais *au temps jadis*. Quand, à la maison, tu entendais drelin !, tu courais répondre : c'était ta mère, ta sœur, un ami. Mais, quand c'était lui, ta voix montait d'un ton.

— Christophe !

À côté du lit, la lumière du répondeur clignotait. Tu as attendu un peu avant d'écouter le message qu'il t'avait laissé. Tu as mis l'eau à bouillir et tu es allée passer une robe de nuit. Pendant que tu te changeais, tu l'as écouté dire qu'il t'appelait de sa chambre d'hôtel de la rue Mulberry. Il avait écumé les boutiques de la rue Prince sans trouver les pantalons d'intérieur japonais qu'il cherchait. Dehors, le temps hésitait. Tu n'étais pas là. Il descendrait à la trattoria manger des pappardelle au romarin, voilà. Tu l'as entendu respirer et saluer trop vite avant de raccrocher.

Tu es revenue dans ta chambre avec une tasse de thé. Tu t'es glissée sous la couette, cumulus de plumes d'oie. À la réception, tu as demandé à parler avec Mister Keller. Tu l'as imaginé étendu, la tête appuyée sur le montant du lit, jetant un coup d'œil à la fenêtre dont il aurait tiré le rideau. Il a répondu et vous avez passé des minutes à parler de choses de tous les jours, l'école et New York qui, derrière, était un bruit.

Après t'avoir raconté sa journée de sa voix basse, lente, Christophe t'a raconté sa vie. Cette fois-là, une chose en entraînant une autre, vous avez chuchoté toute la nuit. L'an dernier, il avait connu une fille qui l'avait follement aimé. En riant, il a répété : *follement*. Elle s'appelait Renée. Il l'avait laissée parce qu'elle exigeait d'incessantes preuves d'amour. Pour elle, une preuve d'amour, c'était qu'il renonce à ce qu'il désirait. Au restaurant, il commandait un rumsteck ? Ce serait l'agneau qu'elle avait envie de goûter. On les invitait à sortir entre amis ? Ils écouteraient un film de son choix. Lorsqu'elle lui avait fait comprendre qu'elle voulait se marier, il avait hésité. Par rancune, peut-être, ou pour le provoquer, elle avait trompé Christophe avec un collègue qui lui courait après. Refusant de lui passer *tous* ses caprices, il l'avait quittée. Elle n'avait pas compris. Elle disait qu'il était l'homme de sa vie. Qu'elle était follement amoureuse de lui. Pour tout commentaire, Christophe avait répété : « Follement, oui. »

Passé minuit, vous avez reculé jusqu'au loin de l'enfance quand tu t'es assoupie, les épaules rapprochées sous le drap. Tu dormais. Tu aurais tout compris si tu étais restée éveillée alors qu'il choisissait de tout te raconter. Sa sœur, les corvées, sa mère et sa mélancolie sombre, tout ce qu'elle avait dit, les reproches, les moqueries, les petites détestations, toujours, et les élans d'amour comme des coquilles vides, la faiblesse de son père, et son désir, enfant, de s'enfuir en même temps que de s'en faire aimer. Mais il n'aurait pas parlé s'il n'avait pas senti que tu oublierais ce qu'il te confiait. Car ces choses, il te les avait dites sachant que tu rêvais et que tu ne le voyais pas.

Au réveil, tu te rappellerais des morceaux de son enfance. Une image t'avait marquée : les chevaux d'Exeter que sa sœur aimait monter sur une selle anglaise. Quand elle lui écrivait du *boarding school,* Laure joignait à ses lettres un petit rien, une violette séchée, un cygne plié ou de la poudre d'argent. Au moment de lui écrire, il ne savait jamais quoi dire. Aussi ne répondait-il que rarement. Tu imaginais sa sœur plus douce que la tienne. Tu la voyais toujours dans une certaine lumière. C'était sûrement la faute de son prénom.

Au téléphone, il s'était arrêté de parler, puis il avait repris le fil de son récit, les portes d'armoire claquées et sa mère qui vociférait, noire, des jours durant. Sa mère qui disait l'aimer en lui serrant le cou. Sa mère qui, exaspérée de l'entendre jouer, l'avait un jour menacé d'un couteau à viande. Il parlait comme s'il avait oublié, comme si de rien n'était et qu'il y avait eu pire. « Des choses comme ça... », et tu avais opiné d'un faible oui.

Le lendemain, tu as douté que vous ayez parlé. Tu as préparé ton déjeuner, et au bruit de la porte de l'armoire qui claque tu as pensé à la mère de Christophe sans comprendre pourquoi. Des bribes de la conversation de la nuit ont afflué. Pour savoir si tu avais rêvé, tu as pensé lui téléphoner, mais le temps filait. Tu es partie au travail avec le sentiment que quelque chose t'échappait.

Le soir, tu trouverais le téléphone caché sous l'oreiller comme une dent tombée.

L'ENFANT LOUP

Christophe était un bon soldat. Un grand frère comme tu avais rêvé d'en avoir un, toute petite. Un garçon fier et droit. Trop poli, souriant, aux manières un peu vierges. Dans un carré de sable, Christophe, dos tourné, élevait les tours d'un château. Si tu l'avais approché, il t'aurait expliqué qu'il fallait creuser des tunnels pour que les bonshommes puissent s'échapper.

Le père de Christophe était architecte et sujet de la reine d'Angleterre. Grand échalas aux yeux ronds et à la peau de lait, il travaillait sur un projet à la Défense quand sa boîte l'avait envoyé à l'Alliance française. C'est là qu'il avait fait la connaissance de Murielle Keller, une femme menue qui colorait ses lèvres d'un rouge cerise. Elle était belle comme un oiseau, le visage ovale et des cheveux de jais. À son père, elle avait souri d'une manière telle qu'il s'était cru choisi. Paul Anderson et Murielle Keller s'étaient mariés à Exeter dans les mois qui avaient suivi.

La lune de miel avait été de courte durée. Blâmant le spleen anglais, Paul Anderson proposerait à sa femme de rentrer en France. Elle avait hésité. Puis elle avait esquissé ce sourire qui laissait tout espérer. Les Anderson s'étaient ainsi installés à Passy, dans l'ouest de Paris. Les premiers mois, Murielle montrait une joie dansante. Mais elle avait sombré quand Christophe était né. Inquiété par ses yeux sans regard, Paul Anderson l'avait ramenée dans sa famille. Elle y resterait un an avant de se fâcher avec ses parents.

Lorsqu'elle reviendrait à Passy, elle supplierait son mari de lui faire un deuxième bébé. La naissance de Laure l'apaiserait un temps avant que ses crises ne s'intensifient. Christophe et sa sœur avaient grandi en redoutant le moment où portes et tiroirs se mettraient à claquer, où leur mère s'enfermerait dans sa chambre des jours durant. Paul Anderson avait rationalisé le phénomène en notant la date, l'heure et la cause apparente des colères de sa femme dans un cahier quadrillé. Remarquant que les crises suivaient un cycle de trois semaines, il s'était fait un devoir d'alerter les enfants en temps opportun. Dès lors, Christophe et sa sœur s'étaient adaptés aux conditions climatiques particulières de leur famille.

Un soir de mars, l'ambulance est venue. Murielle Keller avait voulu mourir. Mis au courant, son frère est descendu à Paris pour veiller sur les enfants. Choqué de trouver son beau-frère anéanti, il lui a révélé que Murielle l'avait trompé pendant de nombreuses années.

D'après lui, c'était la fin de cette liaison qui avait provoqué le début de ses crises – et non la naissance de Christophe, comme il l'avait d'abord cru. Étrangement, cette révélation avait soulagé Paul Anderson. La peine, le ressentiment et le drame, cela n'avait rien à voir avec lui. Une seule chose le troublait : elle fréquentait cet homme *avant* qu'ils ne se rencontrent. Il avait hésité, mais avait jugé préférable de ne pas demander.

Quand il lui dirait ce qu'il savait, Murielle nierait tout. Devant l'insistance de son mari, elle avouerait une *passade*. Puis elle se fâcherait qu'il ne voie pas ce que cela avait de *normal*. Elle tenterait de le séduire pour qu'il oublie. Il ne broncherait pas. Alors elle lui montrerait l'étendue de sa blessure avant de l'accuser : il n'avait pas su la combler. Puis, elle se moquerait de lui en affirmant ne jamais l'avoir aimé. À la fin d'un été brisé par les cris, elle ferait mine d'accepter son départ. Mais, lorsqu'elle apprendrait que Paul emmenait les enfants, Murielle n'a pas supporté la perspective d'être abandonnée.

Au matin du départ, elle les a regardés porter les valises. Quand ses enfants ont voulu l'embrasser, elle a déclaré qu'il n'était pas certain que Paul soit le père de leur fils. Laure, pleurant, suppliait son frère de ne pas l'écouter. À huit ans, Christophe se disait que sa mère n'avait plus que lui.

Quand tu le rencontrerais, il te dirait s'appeler Christophe Keller.

CE QUE C'ÉTAIT, JUILLET

À dix-neuf heures, il a téléphoné chez toi. Il t'invitait pour l'apéro ou le digestif, à ta guise. Tu as choisi une robe blanche et tu es sortie dans la canicule du soir. Sur le trottoir traînaient les cadavres de matelas abandonnés et de boîtes éventrées. C'était le premier juillet et Christophe était revenu.

Il t'a donné son adresse. Un peu plus au nord, un peu plus à l'ouest, mais toujours sur le Plateau. Situé au rez-de-chaussée, son appartement occupait le coin de deux rues. Comme on entrait chez lui par le biseau, on aurait dit un commerce de quartier. Les fenêtres, énormes, faisaient vitrine. Sans rideaux, on verrait tout, mais de grands pans de tissus tombaient des tringles. Seule la lumière filtrait. Derrière le voile, tu devinais son visage racé comme il déverrouillait. Ouvrant la porte, il t'a fait un sourire hardi. Son visage rousselé par l'été, il portait un bermuda, un polo couleur crème et des chaussures de cuir marron. Il s'est approché pour te faire la bise. À ses lèvres, tu as senti la fraîcheur sur tes joues, puis une chaleur descendre dans ton ventre.

— C'est chez toi ? Je peux entrer ?

— Ah non, le musée est fermé, ma bonne dame. Il faudra repasser...

Il t'a invitée à t'asseoir dans les marches en ciment. Assis à tes pieds, il a retiré ses mocassins pour découvrir sa peau pâle et ses poils aux orteils. Ses pieds étaient si blancs, ses orteils si longs, c'était attendrissant. Tu t'es penchée sur tes propres orteils. De petits ronds rouges de sang et les déchirures commençaient d'apparaître. Tes stigmates d'été. Dans le parc à côté, on tapait du tamtam. Deux goélands raillaient. Sentant une odeur de patates frites et de hotdogs grillés, Christophe te dirait que c'était, Montréal, comme à la plage, mais que la mer manquait.

Il a replié les genoux pour te raconter son séjour *en Amérique*, qu'il disait. Il adorait New York, mais il préférait vivre tranquille à Montréal. Et Paris ? Il n'aimait pas Paris. Il trouvait les Parisiens râleurs et arrogants. Comme il parlait anglais, sa boîte lui avait proposé les États-Unis. Puis Montréal. Sa mère aurait préféré qu'il choisisse l'Angleterre. Lorsqu'elle s'en plaignait, il ne répondait rien et changeait de sujet.

— Arrête, t'as vu tes pieds !

Tu as souri. Ce n'est pas que son accent t'excitait. C'est qu'il dépassait de lui comme un bout de tissu auquel tu t'accrocherais. Dans sa manière de parler, c'est lui, seulement lui, sa singularité qu'il te plaisait d'écouter. Lui que tu croyais aimer.

Tu plissais des yeux en regardant le mauve du ciel quand un vent chaud a fait dans les arbres un bruit de mer et de vagues. Tu regardais au loin en ignorant Christophe qui détaillait tes jambes. Un pied posé sur l'autre, tu as recouvert tes blessures. Dans la langueur du soir, il s'est rassis, bras tendus vers l'arrière. Deux filles en robes d'été marchaient dans l'excitation que donne l'adolescence.

Les pieds blancs de Christophe se sont rapprochés des tiens, brunis par le soleil. Le vent soufflait sur ta chair meurtrie et tu t'es penchée pour essuyer la poussière du trottoir qui maculait tes pieds. En te redressant, tu as replacé l'ourlet de ta robe. Puis tu t'es tournée vers Christophe, qui a saisi ton poignet et t'a tirée à lui.

QUAND LES PORTES S'OUVRAIENT GRAND

C'était l'heure où la ville appartient aux chauffeurs de taxi. Incapables de dormir, vous avez vu les premières lueurs de l'aube entrer dans la chambre. Christophe exhibait un torse délicat – *ses pecs d'amant français*, comme ta sœur dirait. Vous aviez fait l'amour. C'était la première fois. Tu l'avais senti en toi en même temps qu'ailleurs, la joie triste et l'empressement, quand tu ouvrais les yeux.

Au restaurant, il s'était montré princier du moment où il avait demandé une table jusqu'au moment de te tenir la porte en sortant. Il maniait la conversation tout en servant le vin, riait, et te flattait si bien que tu ne gardais aucun secret. Dans sa galanterie, on devinait l'influence des femmes. Christophe n'hésitait jamais. Et c'était avec la même facilité qu'il s'était invité dans ton lit.

Dès que vous aviez été nus, il n'avait plus parlé, tu n'avais plus ri et vous aviez fait l'amour dans une attention presque craintive. Lorsque tu t'étais abandonnée, il avait posé son oreille sur le creux de ta poitrine. Tu avais passé tes doigts dans ses cheveux pour chasser ce qui restait de tension en lui. Il t'avait serrée trop fort avant de lever vers toi ses yeux vert-de-gris comme s'il t'avait déjà perdue. Dans la moiteur des draps, tu croyais que l'hiver ne reviendrait jamais.

Christophe t'a proposé de sortir avant que la canicule ne prenne. Dehors, le jour était à peine bleu, de ce bleu de la nuit qui traîne dans l'entre chien et loup du matin. L'air était sucré, un mélange de jouissance, de chaleur et d'été. Toi, tu allais sans sous-vêtements et les cheveux mouillés.

Christophe s'épanchait, se rapprochait de toi, en disant n'emprunter que les ruelles. Montréal vivait sans pudeur et cela le fascinait. Comme on se balade au Jardin des Plantes, il observait les gens vivre dans les cours arrière, manger ou paresser à l'heure de l'apéro, les cordes à linge et les parties de soccer. Derrière un duplex, Christophe s'est arrêté pour te dire qu'il avait toujours voulu habiter un cottage. À cet égard, Montréal lui rappelait les *carriage houses* d'Angleterre, ces petites maisons de briques attenantes à l'écurie. C'était pour lui quelque chose d'insolite, un trait d'exotisme que tu t'efforçais de voir à travers ses yeux.

Dans la mollesse du matin, Christophe ne t'a pas dit que, son père et sa sœur partis à Exeter, il était resté avec sa mère à Passy. Que, bon fils et bon élève, il s'était appliqué à réussir ce que Murielle Keller lui avait commandé : une filière scientifique et l'école d'*ingé*. Qu'il avait longtemps attendu avant de quitter le nid. Qu'au lycée, il avait établi un plan sur dix ans. Pour sa prépa, il irait en province. Idem pour l'école d'ingé. Après, il s'installerait outre-mer. Un endroit si éloigné qu'il ne rendrait visite à sa mère qu'à Noël. Il visait les Dom-Tom ou l'Amérique. Son plan avait fonctionné. Chaque année, sa sœur l'invitait pour le réveillon, mais Christophe préférait payer le tribut de sa liberté. Le 23 décembre, il prenait le dernier vol pour Paris et, tous les ans, célébrait Noël en tête-à-tête avec sa mère.

Christophe ne t'a pas dit non plus que la seule chose qui manquait encore à son plan, c'était un endroit à lui, où il serait chez lui. Un endroit dont il pourrait dire que c'était la maison. Pas plus qu'il ne te serait venu à l'idée de lui dire que tu savais aimer tout de lui. Que déjà tu t'attachais à lui de toutes les manières. Qu'il disait ton prénom, *Béatrice*, et que ton cœur cognait. Fatigués par la nuit, vous ne faisiez que marcher dans les rues désertes. Et si l'un de vous parlait, c'était Christophe qui pointait un escalier en colimaçon, un arbre gigantesque ou un *paradis* que tu n'avais pas remarqué.

Un après-midi que vous entendiez les Français attablés aux terrasses de l'avenue Bernard, tu as soufflé à Christophe un peu de ton désir de France. Son cornet à la main, il t'a répondu qu'il préférait l'Amérique. Il appréciait l'abondance et l'authenticité. Croyant qu'il n'était que poli, tu as insisté sur le charme désuet de l'Europe. Absorbé par la crème glacée qui coulait sur son bras, il a gardé le silence avant de t'assurer qu'il ne quitterait pas le Québec. Tu pouvais être tranquille. Tu as répondu que tu mourrais s'il venait un jour à te quitter. Quand bien même ce serait toi qui ne l'aimais plus, as-tu ajouté, tu cesserais de vivre. Christophe a entonné un air de Piaf pour se moquer de ta sentimentalité.

— Mais c'est vrai.

Et c'était vrai. La perspective que votre histoire prenne fin te faisait tant souffrir que, l'été passant, tu t'oubliais dans le désir affolant que cela cesse en même temps que cela dure toujours.

LE TEMPS VOLÉ

Malgré tout, l'été avait passé dans la douceur des soirs. Le jour, tu ne travaillais pas. Tu regardais pousser tes plants de basilic en attendant que Christophe termine sa journée. Tu lisais au parc Lafontaine sans comprendre les mots qui défilaient. Chez toi, tu pensais à vos sorties en feuilletant distraitement les journaux. Puis tu traînais sur les sites français en rêvant de partir. Pour le reste, tu te baladais à vélo. Quand tu tombais sur une curiosité, la petite Jamaïque au nord de Jean-Talon ou le cloître des carmélites dans le Mile-End, tu avais hâte de lui raconter. Tout, tu rapportais tout à lui. Même les bons mots que tu donnais à d'autres, tu les gardais en tête pour les lui partager. Et si tu voyais des amis, ce n'était que pour passer le temps.

— Allez-vous partir en France cet été ?

Tu avais évoqué les plages de Normandie, mais Christophe t'avait répondu qu'il ne prendrait pas de vacances. Il devait retourner à New York boucler son contrat. Comme tu étais déçue, il t'a proposé de l'accompagner.

Vous avez suivi les panneaux verts, puis dévié vers la côte. Vous avez passé un week-end au lit et à la plage. Dans son maillot, on aurait dit un coureur cycliste des années trente. Pour lui faire plaisir, tu lui palpais les muscles et gardais pour toi que tu aimais sa minceur à l'ancienne. À l'hôtel, tu prenais des heures à te faire une beauté, même s'il disait préférer l'odeur que prenait ta peau au soleil. Un soir que vous mangiez du homard dans un *shack*, la crème solaire brillant sur sa peau pâle, Christophe s'est reculé dans sa chaise, jetant un regard vers la mer, puis vers toi, il s'est exclamé : « On n'est pas bien, là ? » Oui, vous étiez bien, là.

L'été resterait pour toi le moment le plus beau. Le temps du bonheur quand on ignore que cela prendra fin.

Tu n'avais jamais rencontré ses amis, ses collègues, encore moins sa famille. Ce serait pour lorsque vous iriez en Europe. De ton côté, tu préférais sortir en amoureux. Les fins de semaine, il te faisait visiter les maisons à vendre dans son quartier. Pour toi, c'était un jeu dont il t'avait donné les règles : une cour, deux étages et trois chambres à coucher. Au sortir d'un cottage sur l'avenue Laval, il t'a demandé ce que tu voulais, toi. Tu as répondu :

— Une terrasse sur le toit et un mobilier en teck.

— Comme chez Maité ?

— Oui, mais au paradis.

Mi-août, tu as trouvé dans ton casier les documents dont tu avais besoin pour ton année en France. La Direction aidant, tu prendrais la place d'une institutrice parisienne nommée Camille. Elle voulait connaître Montréal. Vous enseigniez l'une et l'autre aux enfants de sept ans. Les choses se mettaient en place pour que tu puisses partir. À l'école, tu préparais l'année comme tu en avais l'habitude, en incluant toutefois quelques éléments du programme français.

Un samedi matin que tu commandais des manuels scolaires, ton sans-fil a sonné. Avec ta voix des beaux jours, tu as répondu. Tu l'as écouté, félicité, riant, et tu as raccroché. Christophe venait d'acheter un cottage, dirais-tu à ta sœur le lendemain.

— D'après moi, il ne vivra pas là tout seul longtemps !

Sans trop comprendre, tu as opiné. Après tout, c'était *son* cottage qu'il avait acheté.

AMI DE CŒUR

Véro vous avait toujours défendus, Jean-Phi et toi. Elle était ta grande sœur et son *amie de cœur*, votre mère disait. Tous les garçons étaient amoureux d'elle, mais Véro n'aimait personne d'autre que vous. Où que vous alliez, c'était en formation de trois. Dans l'autobus scolaire, vous vous serriez sur la banquette, ta sœur te tenant toujours la main. Tu étais si bien gardée qu'aucun garçon n'osait te parler de peur de ce que ta sœur ferait s'il te mordait les joues.

Au secondaire, tu as suivi tes amies au Couvent. Bien vite, elles t'ont ennuyée. Elles semblaient attendre le regard des autres pour exister. Par comparaison, ta sœur avait une opinion sur tout. Elle avait un jugement rapide, souvent faillible, mais on ne sortait pas indemne de l'avoir rencontrée. Pour l'entendre pester, tu la retrouvais les midis et, du haut de la falaise, vous partagiez votre lunch : ce qu'il fallait de jus, trois carottes crues et des sandwichs au thon.

Vers la fin du secondaire, ta sœur ne voulait que sortir et danser. Jean-Phi, plus pantouflard, s'est rapproché de toi. Parfois, il dormait sur le sofa qui jouxtait ta chambre. Dans cette proximité, tu t'es amourachée de lui jusqu'à ce que ta sœur te fasse déchanter : Jean-Phi était gai. Ou le serait incessamment s'il ne l'avait pas encore compris.

Quand on racontait une anecdote à ta sœur, elle imaginait toujours ce qui se produirait *ensuite*. La plupart du temps, elle disait vrai. Un jour, par défi, Jean-Phi l'a amenée chez une voyante. Véro est ressortie insultée.

— Elle m'a dit de me mêler de mes affaires !

Jean-Phi lâchait des ha ! tandis qu'elle répétait qu'elle s'était fait avoir. Elle a claqué la porte de la berline de tes parents. Sur l'autoroute, elle avouerait avoir été mise en garde contre le tort qu'elle causerait à ceux qu'elle aimait. Jean-Phi avait eu un air entendu. Mais ta sœur ne retiendrait pas la leçon.

Douze ans plus tard, Véro annonçait à Jean-Phi que tu étais casée. Heureusement, a-t-elle dit, *la vie* avait tout arrangé. Devant l'étang du parc, Jean-Phi a pris une gorgée de sa bière d'épinette.

— *La vie,* oui... L'as-tu déjà rencontré ?

— Lui ? Juste une fois. Il vient d'acheter une maison. Maité m'a dit qu'il veut des enfants.

— Et Béa, c'est quoi, son plan ? Elle ne voulait pas partir en France ?

Depuis le temps qu'il vous connaissait, Jean-Phi avait appris que la volonté de ta sœur répondait rarement à tes rêveries. Et parce qu'il savait quelque chose que Véro ignorait, Jean-Phi craignait que cette histoire ne se termine mal et encore une fois dans ses bras.

IL DÉTESTAIT PARIS

Un dimanche, il t'a invitée à bruncher. Les feuilles avaient roussi. Sur la rue Duluth, vous marchiez dans vos manteaux ouverts. En retirant à Christophe son écharpe rayée, tu as touché le creux de son cou. Il lui faudrait faire attention, l'hiver, on attrape vite un rhume. Il t'a pris la hanche pour te serrer contre lui. Avec plus de sérieux qu'il en avait l'habitude, il t'a donné un baiser sur le haut des cheveux. Levant ton visage vers lui, tu l'as vu froncer les sourcils.

Au Réservoir, vous avez commandé du saumon et du boudin. En silence, il jouait avec tes doigts, qu'il pliait, repliait et accrochait aux siens. Levant vos jointures vers sa bouche, il a lâché tes mains pour te regarder au plus profond des yeux. Percevant ton embarras, il a annoncé qu'il avait quelque chose à te dire. Ses taches de rousseur se sont effacées quand il a bégayé qu'il avait acheté le cottage pour que tu viennes habiter avec lui.

Il a poursuivi. Il avait fréquenté d'autres filles, bien sûr, mais c'était toi qu'il voulait. Avant, il ne connaissait des femmes que l'insatisfaction. Les pleurs ou la colère, sans qu'il comprenne pourquoi. Mais les jours étaient passés et tu étais restée douce. Il s'est arrêté de parler, perdu dans ses pensées, pour enfin répéter que c'était évident. Tu ne suivais pas. Il a posé sur toi son regard grave.

— C'est évident. Tu es la femme de ma vie, voilà.

Deux assiettes sont apparues. Christophe s'est empressé de remercier sans plus te regarder. Buvant la mousse au fond de ton verre de latte, tu respirais profondément.

— Pas toi ?

Il te disait tout ce que tu voulais entendre, tout ce que tu avais jamais voulu qu'on te dise. Et tu aurais pleuré tellement t'était douloureuse la peur que quelque chose se brise. Que le moment se perde. Avec une tristesse dans la voix, tu as dit :

— Bien sûr que oui.

Christophe était l'homme de ta vie. Il avait bien réfléchi, tout calculé. Il veillait à votre futur avant même de te rencontrer. Toutes ses économies, il les avait placées pour l'achat d'une maison. Maintenant qu'il l'avait, son cottage, il mettrait le même montant de côté pour les enfants. Tu l'entendais parler de bébés et de crédits d'impôt. Quelque chose manquait, t'échappait. Toi-même, tu te sentais partir, et c'est à ce moment qu'il t'a annoncé que tu serais la mère de ses enfants.

Tu as relevé la tête et Christophe a cru que tout était réglé. Depuis des mois, tu disais toujours oui. Maintenant qu'il t'offrait le *paradis* que tu avais demandé, tu ne pourrais refuser. Il a souri, il n'a pas pu s'empêcher, comme fier de lui. Il aurait gravi à genoux l'escalier de la Tour Eiffel pour te combler.

Tu t'es penchée sur ton saumon. De ta fourchette, tu écartais mollement le blanc sur le côté de ton plat. Tu savais que c'était tout ce que tu voulais. Mais c'était tout, trop vite. Tu voulais voyager. T'égarer dans une ville inconnue. Te réveiller, tes problèmes derrière toi. Connaître l'intensité des rencontres à l'étranger. À vingt-six ans, tu pensais que l'avenir avait encore le temps d'arriver.

— Je pars en France l'an prochain.

Christophe a reposé sa fourchette.

— En France ? Pour quoi faire ?

— Un échange.

— Je comprends pas. Tu échanges quoi, ton cinq et demi ?

— Non, mon poste. C'est seulement pour un an. Je passe un an dans une école là-bas, une Française vient un an ici, et je reprends ma vie après.

— Oui, voilà, bien sûr. Un an, c'est vite passé. Pas la peine d'en parler...

Il a soupiré comme celui à qui on ne la fait pas. Dans

la lumière du jour, ses yeux de fin de race t'ont paru trop pâles. Tu aurais voulu te raccrocher à lui, mais son visage perdait les traits que tu lui connaissais.

— J'attendais d'être sûre pour t'en parler.

— Sûre de quoi ? Sûre de moi ?

Plus le ton de Christophe se durcissait, plus tu parlais faiblement. Tu doutais de ce que tu disais, mais c'était plus fort que toi. Tu aurais voulu pleurer quand tu as dit avoir besoin de partir. Cela ne changeait rien au fait que tu l'aimais. Christophe a massé ses sourcils.

— Tu as vraiment besoin de partir en France ?

— Oui.

— Et où, en France ?

— À Paris.

Christophe a basculé sa chaise vers l'arrière, puis il s'est laissé retomber sur les pattes d'en avant. L'œil fixe, il t'a regardée te décomposer et il a lâché pour la trente-sixième fois :

— Je déteste Paris.

Il a retiré ses mains de la table. D'une voix fatiguée, il a convenu que cela changeait ses plans. Il a passé un bras dans la manche de son manteau en alléguant qu'il devait réfléchir.

Au moment de partir, tu l'as cru lorsqu'il t'a dit qu'il te rappellerait.

LA PREMIÈRE NEIGE

Tu es entrée chez Henri Henri lui acheter une chapka en mouton. Entre les derniers Panama de l'été, tu as essayé plusieurs paires d'oreilles. Dans le miroir, tu fixais ton visage en imaginant le sien. Avec son air d'aristocrate anglais, Christophe porterait bien un truc poilu. Une chapka dont il faudrait soulever les rabats pour l'embrasser. Dans la hâte de te faire pardonner, tu as payé, souri. Le commis t'a approuvée : « Il a de la chance, votre amoureux. » L'hiver, tu le voyais, il entrerait chez toi dans un coup de vent et de froid. Il claquerait la porte et frapperait les pans de son manteau quand tu te jetterais sur lui pour l'embrasser.

Tu es rentrée en métro.

Accrochée au pôle, tu as compté les jours depuis le dimanche où vous vous étiez parlé. Il y avait près de deux semaines que tu attendais qu'il te rappelle comme il avait promis. Tu ne comprenais pas. Quand bien même c'était toi qui l'avais blessé, tu t'en remettais à lui pour tout arranger. Christophe savait toujours la chose à dire. Jamais tu ne l'avais vu commettre un faux pas. S'il ne te rappelait pas, ce n'était pas parce qu'il ne t'aimait plus - pas après ce qu'il t'avait dit. S'il ne te rappelait pas, c'était qu'il jugeait préférable d'attendre. Tu lui faisais confiance.

En classe, tu as mis les enfants sur un long projet pour les occuper. Vous aviez groupé les pupitres en équipe. Tu te levais pour passer entre les rangées. La tête ailleurs, tu suivais leur progression. Tu regardais par la fenêtre, entre le carton découpé des citrouilles, comme s'il allait t'arriver dans une bourrasque de pluie. Quand les élèves pépiaient et se haranguaient, tu sursautais, car tu ne vivais plus que de laisser le temps passer.

Dans ton appartement blanc, les soirées étaient longues à te perdre dans le noir du ciel. Tu cherchais un indice auquel te rattacher. Les preuves d'amour qu'il t'avait données, tous les signes qui disaient qu'il t'aimait, tu les as épinglés dans ta mémoire comme des papillons. Chaque soir, tu ajoutais un souvenir à ta collection. Chez Maité, quand vous vous étiez rencontrés, il t'avait suivie d'un groupe à l'autre sans te quitter, le visage en émoi. De New York, il t'avait appelée plusieurs fois par semaine et des semaines durant. Il ne pouvait pas se passer de toi, il avait bégayé. Au Réservoir, il avait avoué que tu étais la femme de sa vie.

Il t'avait raconté ses jeux d'enfance et ses amours adolescentes. Il t'avait promis une tournée dans les pays communistes avant qu'ils ne tombent. Il t'avait parlé du temps d'avant et du temps d'après, la preuve que votre histoire n'était pas terminée. Il t'avait donné des cadeaux, la preuve qu'il t'avait choisie, une théière Wedgwood et une robe en velours bleu que tu porterais à l'automne.

Bien sûr, il détestait Paris. Il avait acheté une maison, il voulait être père. Mais tu refusais qu'il te quitte pour cela. S'il t'aimait, il t'attendrait. Et Christophe t'aimait. Tu te couchais chaque nuit avec la conviction qu'il reviendrait.

Ce ne serait qu'à la première neige, celle qui ne reste pas, ce serait devant cette poussière d'octobre que tu te dirais *peut-être*. Peut-être, après tout, ne reviendrait-il pas.

MATRIOCHKA

À chaque coup de sonnette, tu espérerais ton prince charmant. Mais tu ne trouvais jamais que des bouts d'enfants : des pirates, des clowns et des gangsters boursouflés par les manteaux qu'ils portaient sous leurs déguisements. Tous les quarts d'heure, tu ouvrais la porte pour voir les enfants des autres te tendre leurs sacs : « Halloween ! » À vingt et une heures, tu éteindrais la chandelle pour mettre fin au supplice. Sur ta robe fleurie, ton châle et tes sabots, tu passerais un manteau de drap. En fermant la porte, tu te demanderais ce que tu dirais quand tes amis salueraient ton entrée.

Tu as retiré ton manteau et l'on a entendu des oh ! et des ah ! Mais Véro, appuyée sur Maité, devinait que quelque chose clochait. Jean-Phi s'est enquis :

— Il est où, Christophe ? On l'a toujours pas rencontré...

— Il avait prévu autre chose, je pense.

On t'a tendu un verre que tu as saisi en feignant l'euphorie. La chaleur montait. Petit à petit, tu as retiré ton déguisement de *matriochka*. Ton cœur de lèvres s'estompait à chaque gorgée. Tu as fini la soirée couchée sur les cuisses de Jean-Phi. Depuis le temps que tu le connaissais, il n'avait pas changé. Avec ses cheveux coupés trop court autour du front, ses grands yeux et ses pommettes, on aurait dit un Gainsbourg sympathique. Pour te faire plaisir, il caressait tes cheveux comme tu aurais aimé qu'on te caresse toujours quand tu sentais l'alcool te monter à la tête.

— Jean-Phi, mon beau Jean-Phi, qu'est-ce que je vais devenir ?

Jean-Phi te répondait qu'il ne savait pas ce que tu deviendrais, mais que l'avenir serait beau puisque tu étais belle. Ce garçon ne te valait pas. Autrement, il ne t'aurait pas quittée.

— Pleure pas, Bébé...

Jean-Phi souriait comme les chats en faisant de petits yeux petits. À travers tes larmes, tu riais. Cela ne manquait jamais quand il t'appelait Bébé.

Véro vous regardait de la cuisine. Elle s'est demandé ce qui s'était passé, si Christophe avait paniqué ou si c'était toi qui l'avais laissé. Elle qui avait l'habitude d'affirmer, elle qui ne parlait jamais sans prédire, ne savait que penser. D'un côté, elle n'aurait pas été surprise que Christophe se révèle être un lâche. Mais elle n'ignorait pas que tu savais te montrer petite. Naïve et cruelle. Béa, disait-elle, c'est un peu la fée Clochette. Mais c'était toi, sa sœur, et toi qu'elle aimait.

Au-dessus de ta tête, Jean-Phi faisait rire Jeff. Toi, tu gardais les yeux fermés. Étourdie, tu te rappelais des bribes de cette nuit au téléphone, de cette longue nuit entrecoupée de rêves où Christophe t'avait raconté Passy et Exeter. Des mots te revenaient, mais tu n'arrivais pas à retrouver le fil de l'histoire. Des images de chevaux se mêlaient aux souvenirs de son dos raidi sur une chaise en bois. Il y avait autre chose, pensais-tu. Autre chose qu'il t'avait caché. On ne laissait pas une fille parce qu'on déteste Paris.

La fête finie, tu aurais voulu dormir jusqu'à l'été. Hiberner comme les ours. Tu aurais voulu oublier. Sur le dos, tu insultais Christophe. Puis tu t'es retournée, ça tanguait. Tu voulais qu'on t'aime. Que le temps passe. Que reviennent le soleil et tes blessures aux pieds.

L'HIVER ÉTAIT POURTANT BEAU

C'était novembre, le temps gris et la neige. Tu glissais dans tes bas de laine du salon à la chambre à coucher et tu as vu la chapka posée près du téléphone qui ne sonnait pas. Fébrile, tu as attrapé les oreilles et tu as entrepris de la lui apporter. Dans ta hâte, tu es partie en claquant la porte. Ton manteau boutonné de travers, tu marchais dans la rue avec l'allure de qui s'empêche de courir. Arrivée chez Christophe, tu as été soulagée de voir la lumière derrière le rideau du salon. Tu as sonné, attendu. Aucun pas n'approchant, tu as résolu de laisser la chapka dans la boîte aux lettres. Christophe comprendrait qu'elle venait de toi, que tu pensais à lui en attendant l'hiver que vous passeriez ensemble.

Tu as replacé la chaîne sur ta porte d'entrée et tu as entendu sonner le téléphone. Tu as couru, glissé, contourné le lit. La main tendue jusqu'à la table de chevet, cœur battant, tu as décroché :

— Arrête de penser qu'il va te rappeler. Christophe est en train de *ne pas* t'appeler, c'est ça qu'il fait. Et il le sait.

Que Christophe t'aime, Véro l'aimerait aussi. Mais qu'il te fasse de la peine et elle ne répondait pas d'elle. Avec Maité, elles avaient convenu que la seule explication, c'était que l'un de vous avait dû tromper l'autre. Pour Maité, *l'un de vous*, c'était lui. Elles avaient raison à demi : vous vous étiez tous deux trompés. Et c'était dans le leurre plutôt que dans l'adultère que vous vous trompiez vous-mêmes.

Véro voulait savoir, mais tu esquivais la question des faits pour ne répondre qu'aux suppositions. Tantôt tu étais persuadée que quelque chose l'empêchait de te téléphoner. Tantôt tu pensais que le temps arrangerait tout. Tantôt l'été te revenait par bouffées. Tantôt tu te découvrais amoureuse de lui. Tantôt tu te disais qu'il le regretterait.

— Je vais te dire, moi, ce qui va arriver. Un jour, il va te rappeler, mais tu seras avec l'homme de ta vie.

Tu l'as défendu. Tu lui as répondu l'aimer, *lui*, pour sa droiture et cette réserve qui ne le quittait pas. S'il ne rappelait pas, c'est qu'il croyait qu'il ne valait mieux pas. Eh bien, dirait ta sœur, il ne te reste plus qu'à en trouver *un autre*.

— Je sais pas ce que tu leur trouves, mais des Français, c'est pas ça qui manque à Montréal.

Tout bas, tu as prononcé « Christophe » avec l'assurance qu'il pensait à toi. Découragée, ta sœur n'a rien dit. Après avoir raccroché, tu t'es tournée vers la fenêtre et la ruelle enneigée. Dehors, pourtant, l'hiver était beau.

Tu as saisi encore une fois, une dernière fois, le combiné. Un coup, deux coups, trois coups. Tu as laissé un message enjoué comme tu savais le faire. Tu avais déposé chez lui *un petit quelque chose*. Tu attendais de ses nouvelles. Une heure, deux heures, trois heures. Il ne rappelait pas. Il ne rappellerait plus.

Véro l'avait compris avant toi.

ÉCHO

Au plus fort de l'hiver, tu as cru avoir tout inventé. Jusqu'alors, c'était simple : il ne t'aimait plus. Puis tu as douté qu'il t'ait jamais aimée. Cela avait commencé le jour où tu as dit à Véro que tu ne l'entendais plus. Elle t'a regardée d'un drôle d'air avant de te demander si tu entendais sa voix. Ce n'était pas exactement cela, as-tu répondu. C'était plutôt un signal. Un signe ? Non. Une fréquence. Ce qu'on entend quand on dit de deux personnes qu'elles sont sur la même longueur d'onde. Sauf qu'il n'était pas avec toi.

— Béa, vous êtes pas des dauphins. Reviens sur terre.

Quand tu lui dirais qu'*il* ne t'entendait pas et que tu restais seule dans cette sorte d'écho, elle ne saurait que penser. Véro s'est demandé si tu ne faisais pas une dépression. Jean-Phi a suggéré que tu vivais peut-être ce qu'il était convenu d'appeler *un grand amour.*

Les choses sont restées ainsi jusqu'à ce matin de février. Tu paressais dans le blanc de ta chambre quand tu l'as senti. Cela t'est venu comme une intuition claire : Christophe était amoureux. Tu t'es levée. L'air te manquait. Dans la cuisine, tu t'es effondrée sur le plancher. Christophe avait rencontré une autre fille, et le pire était que tu le *savais.*

Tu avais été stupide de croire qu'il t'aimait. Tout à coup, ton plus bel été n'avait pas été *vrai,* et tu as répété que rien ne s'était passé, *rien.* Il ne restait que son silence obscène. Tu tenais ton ventre en te balançant sur le plancher. Tu voulais mourir. Ne plus exister. De tes poings, tu cognais tes cuisses en répétant que tu voulais qu'il te laisse tranquille.

Tu as voulu mourir, mais Véro est venue te chercher.

JOUR DE FÊTE

Tu te réveillais dans la lumière de mars au son du klaxon des grattes. Après l'école, tu allais t'asseoir au parc, pensive, l'air d'une ourse désemparée. Le temps s'était adouci, mais la neige couvrait encore les toits des immeubles qui bordaient l'avenue.

Te dirigeant un soir vers le café où vous aviez vos habitudes, tu as fait demi-tour. Désormais, tu éviterais l'Ouest pour garder l'Est comme on reprend ses biens. Croyant partout le reconnaître, tu ne supportais ni ruelles ni grand-rues. Où que tu ailles, la ville était hantée par son visage. Il t'arrivait encore de rêver à la lumière froide de son regard. Il t'arrivait aussi de lui parler lorsque tu cherchais quelque chose dans ton appartement. En pensée, tu t'adressais à lui comme si vous vous étiez retrouvés. Christophe était trop présent.

Tu l'as aimé à te raconter des histoires. Tu l'as aimé à l'attendre. Tu l'as aimé longtemps. Et le temps a passé. Ta sœur avait raison : *il y avait un bout à tout.*

Véro souhaitait désormais te voir partir à Paris. Ce qu'elle avait craint pour toi, maintenant, c'était ce qu'il te fallait : le dépaysement, l'amour et les ennuis d'expatriés. Peu importe ce que Christophe t'avait fait, tu l'oublierais là-bas. Tu te perdrais dans les bras d'un Français. Il s'appellerait Fabien. Ou Didier. Tu le recevrais l'après-midi. Tu vivrais d'amours si légères que tu rentrerais à Montréal en fille volage. Dans le pire des cas, vous auriez des enfants et tu ne reviendrais pas. À tout prendre, elle préférait cela à ta neurasthénie.

À la débâcle du printemps, Maité a fait une fête comme l'année précédente. Mais Christophe n'y était pas. Même à la fête de Maité, il n'était pas venu.

Alors tu t'es dit que c'était vraiment fini.

II

ÉTÉ D'APRÈS

Mais c'est trop tôt pour te dire je t'aime
Trop tôt pour te l'entendre dire
La voix que j'entends, c'est la sienne
Ils sont vivants, mes souvenirs
Pardonne-moi : c'est lui que j'aime
Le passé ne veut pas mourir

BARBARA

LÀ OÙ LE CŒUR BAT

Le soleil pointait dans une clarté pâle. Au loin, les vinaigriers ployaient sur les ponts. On entendait les scooters filer. À Camille t'attendant devant la porte cochère, tu as fait un geste de la main. Elle avait les cheveux trop fins, une tignasse effilée qui tombait sur sa poitrine et un regard d'hiver. Le taxi arrêté, elle a battu des mains : « Oh ! Hé ! » Dans l'ouverture de son chemisier blanc, elle portait un sautoir. Juchée sur ses bottillons de suède, elle avait ta taille quand vous vous êtes embrassées.

Elle a monté les marches en tirant devant toi ta valise. Sans s'essouffler, elle avait la gouaille de t'expliquer tout ce que tu devais savoir en pointant chaque porte que vous croisiez.

— Atrabilaire, mais sympa. Passe chez lui un dimanche : sa mère fait d'excellents cakes au chèvre et aux cerises. Oh ! Mais bonjour !

Camille t'a présentée à l'atrabilaire qui s'efforçait de sourire pour lui faire plaisir. Cette fille avait quelque chose d'engageant qui poussait les gens à vouloir lui plaire, quitte à se faire taquiner. Tu l'imaginais en classe avec l'énergie de celles qui savent mieux que vous où partir en vacances. Elle devait être une excellente enseignante.

Quand elle avait su que tu prendrais un vol de nuit, elle t'avait proposé de l'accompagner à l'école. Tu arriverais peu avant l'heure où elle se rendait en classe. Elle te ferait visiter. Pour te requinquer, elle t'a emmenée boire *un petit noir.* Quand vous avez tourné le coin, tu as reconnu le bistro dont Christophe t'avait parlé. Sous le lettrage doré, tu le voyais assis, jambes croisées, à l'une de ces tables en lattes de bois. Tu n'aurais pas le temps de le regarder qu'il se serait levé. Il aurait dit bonjour et ton prénom dans une bonne humeur parisienne. Debout au bar, Camille parlant, tu as dissous le sucre dans ton café en te disant que tu ne l'oublierais pas de sitôt.

Un homme est arrivé, que Camille connaissait. Tu t'es redressée, il t'a tendu la main. Le voyant prendre la tienne pour la baiser, Camille a roulé des yeux.

— C'est Julien. Allez, viens !

C'était un garçon comme on en voyait souvent à Montréal. Grand comme un arbre, il portait une cravate fripée sur une chemise à manches retroussées. À son négligé, tu as pensé qu'il était anglophile. Il avait des billes noires pour yeux, des joues charnues et un sourire qui exultait la joie comme sur cette photographie du jeune Cohn-Bendit.

— C'est ta remplaçante ?

— Oh Julien, je t'en prie !

Julien riait. Sous ses boucles marron, il avait l'air de dire qu'il n'en pensait pas moins. Dans la manière, on percevait toutefois quelque chose de sincère. Il avait *le tour*, ta grand-mère aurait dit. Quand Julien s'adressait à Camille, son regard s'amusait à s'appuyer sur toi. Camille te poussait vers la porte, mais Julien vous suivait, le geste large. Tu lui as demandé s'il parlait l'anglais et il t'a répondu avec son plus bel accent : « *Indeed !* » Camille marchait vite, décidée, mais Julien te plaisait et il le savait. Comme il avait noté l'absence à ton annulaire, tu as baissé les yeux. Regardant droit devant, il vous a demandé si vous aviez laissé ton mari chez Camille.

— Je suis pas mariée.

— Il a pas encore demandé ?

— Julien, ça suffit !

— Je suis célibataire.

— Ah bon ? a-t-il dit. Personne ? Pas même un amant ?

Ralentissant le pas, tu as dit :

— J'en ai plus d'un, bien sûr.

Sourcils arqués, il s'est tourné vers toi :

— Et tu connais leurs femmes ?

— Bon, Julien, on est arrivées. Maintenant, tu nous laisses et tu t'occupes, d'accord ?

Il attendait ta réponse. Levant la tête, tu lui as répondu d'une voix que tu aurais voulu posée.

— Seuls mes élèves peuvent se vanter de m'avoir pour maîtresse.

Il a opiné. Devant les parents d'élèves, les enfants, les collègues et Camille, il s'est penché vers toi pour te donner la bise entre l'oreille et la joue.

Exactement là où ton cœur bat.

AUX OISEAUX

Tu as descendu sa valise. De la rue, Camille a appelé un taxi en se souvenant, purée !, de mille choses qu'elle avait oublié de te dire. La voiture arrivée, elle t'a fait la bise. Depuis l'auto, elle a brandi tes clefs. Tu lui as fait un signe de la main quand le chauffeur a démarré.

Tu habitais un ancien pigeonnier. Si tu laissais la fenêtre ouverte, les oiseaux entraient par volées. De ta corniche, on devinait l'hôpital médiéval où tu irais te cacher lorsque la vie à Paris viendrait à t'étouffer. Pour l'heure, tu te réjouissais de te faufiler entre les tables des cafés. Tu lisais le journal en espionnant les filles à la beauté osseuse. Elles avaient de grands yeux cernés, les cheveux longs, peu de menton et la peau du cou tirée. Quand elles prenaient la pose, leurs jambes se déliaient, lentement, s'étiraient et se croisaient comme tu ne pourrais jamais le faire. Destinée aux serveurs et clients, cette version discrète du french cancan te faisait douter de ta propre séduction. Comme les femmes fatales, tu apprendrais à secouer les cheveux et à sourire trop longtemps en appuyant tes coudes sur la table.

Mais toi, ton cœur fondait pour les jeunes premiers aux couleurs vives, coupe Beatles et Adidas blanches aux pieds. À Bastille, tu les voyais affluer, leur visage revenu de tout et leurs lunettes carrées. C'était plus fort que toi. Quand ils s'asseyaient de guingois, tu aurais voulu que l'un d'eux t'aborde, façon Jean-Pierre Léaud. Qu'il s'excuse de t'avoir fait attendre et t'invite à prendre un verre au bistro du coin.

Un jour, il est arrivé un garçon alors que tu rangeais ton vélib'. Tu t'es redressée comme il s'embarrassait de son téléphone qui sonnait. Tu as prié pour qu'il ne réponde pas, mais il s'est détourné : « Allô, Tony ? » Quand tu regarderais par-dessus ton épaule, il pivoterait sur lui-même en se donnant un air d'importance. Tu ferais claquer tes sandales en te disant que ce n'était pas l'amour. Ce ne serait même pas un amant. Peut-être le suivant...

Ton café bu, le matin, tu marchais jusqu'à t'égarer. Tu tentais alors de deviner où tu étais selon l'ambiance du quartier. Comme tu allais pensivement, les vieux avaient le bonheur de croire qu'ils pourraient t'aider. À Paris, tout s'avérait plus loin ou plus proche que tu ne l'aurais cru. Le plan des rues suivait une géométrie variable dans laquelle tu disparaissais à chaque tournant. Les premiers temps, tu as aimé te perdre dans cette distorsion. Tu étais enfin arrivée *ailleurs*. Cela t'avait enlevé le sentiment d'exister.

Un matin d'août, tu lisais en terrasse. La boulangerie fermée, tu regrettais de ne plus voir les hommes en sortir avec l'air confiant que leur donne le pain acheté. Les yeux rivés sur ton roman, tu as senti une présence à tes pieds. Du haut de ses derbys, Julien se penchait pour te faire la bise. Comme le garçon approchait de votre table, il t'a demandé ce que tu voulais.

— De l'eau.

— Ils en ont pas. Deux verres de chablis, s'il vous plaît.

À ta montre, il était onze heures le matin. Il s'est assis à tes côtés, à l'aise, avant de sursauter, cherchant autour de vous.

— Mais alors, tes amants, ils sont où ?

— Je les garde pas à dormir, qu'est-ce que tu crois !

— Ah bon. Québécoise... mais dure !

Il s'empêchait de rire.

— Alors comment ça va ? Tu fais quoi, à Paris, toute seule ?

Tu as regardé derrière lui avant de dire que tu cherchais l'amour. Il a éclaté d'un rire désarmé. Aux aigus, on entendait l'amusement, mais aux graves qui traînaient, il s'avouait conquis. Reprenant son souffle, Julien a passé sa main dans ses cheveux.

— Mais je t'aime, moi. Qu'est-ce que t'es bête... !

Le vin montant, tu pépiais, tu t'animais, toute à ta joie de lui parler. Lorsque Julien s'adressait à toi, tu t'émouvais. Il l'avait remarqué, sans comprendre pourquoi, mais il savourait son effet. Tu lui touchais le bras sans penser le séduire. Il était sûr que si. Il ne pouvait s'imaginer que ton trouble venait qu'il y avait longtemps que tu ne t'entendais plus dire « tu ».

Quand le serveur vous a apporté l'addition, Julien t'a dit qu'il t'apprendrait la vie. Il revenait au garçon de t'inviter. Autrement, tu devais lui promettre de ne jamais le revoir.

— Parce qu'il est pauvre ?

— Non, parce qu'il est con.

Il t'a saisi le bras pour te susurrer à l'oreille que vous étiez les plus beaux de l'endroit. C'était vrai. Tu as ri en pensant qu'il passerait l'après-midi avec toi, mais il devait filer, il avait prévu un déjeuner. Devant sa distance, tu t'es inclinée et tu l'as remercié. Il a penché la tête pour recevoir ton baiser sur sa bouche. Tu es partie en te moquant de lui.

Tu avais l'ivresse un peu triste quand tu t'es soudain ressentie de la dureté des pavés. Tu as traversé la rue, confuse. Tu avais oublié tes sandales sous la table. Elles te faisaient si mal que tu les avais enlevées.

Même à Paris, tes pieds souffraient des étés.

LA VÉRITÉ VRAIE

Passé les premières semaines, tu as été tentée de lui téléphoner. Bien sûr, tu ne le trouverais pas à Paris. Tu cherchais à l'oublier, tu l'oubliais et d'un coup, pan !, quelque chose te rappelait à lui. Parfois, c'était un plat que tu voyais au menu ou une paire de tennis Le coq sportif qu'il aurait bien portées. Souvent, c'était son air de grand frère que tu voyais sur d'autres. Quand cela arrivait, tu te disais que le futur finirait par effacer son souvenir.

Comme un chat, tu avais pris tes aises dans le quartier. Camille t'avait présentée à la boulangère, qui te tendait chaque matin un quart de pain « pas trop cuit » avant de te demander s'il te fallait autre chose. Chaque jour, tu répondais : « Ce sera tout, merci. » Tu passais ensuite chez la marchande de primeurs qui savait quels légumes te donner. Les potages, c'était tout ce que tu savais cuisiner. Le samedi, l'appartement sentait les courgettes et la lessive tendue. La lumière entrait, le bruit de la rue et un pigeon parfois.

Alors une tristesse, une langueur, un grand vide en même temps que sa présence pleine te prenaient par surprise : tu pensais à lui.

Camille n'avait pas de fixe. Pour te rejoindre, il te faudrait un portable. Les premiers temps, tu fonctionnais avec ton téléphone d'espionne. À ceux qui voulaient t'appeler, tu donnais rendez-vous et le numéro de la cabine. À l'heure dite, la sonnerie retentissait. Cela te faisait plaisir. La nuit, tu restais chez toi comme s'il y avait dans l'air quelque chose d'inquiet.

Une fois, une seule fois, tu as descendu l'escalier pour l'appeler. C'était un dimanche. Les vieux sympathisaient au coin des rues. Tu avais la journée devant toi au moment d'aller au musée. Après l'exposition, tu t'es assise pour reposer tes pieds quand un homme s'est mêlé de te faire la conversation. Il n'était pas laid, mais il a eu le don de t'insulter. C'était encore l'accent *pas trop paysan*. Il était si imbu qu'il refusait de voir qu'il t'énervait. Il t'a demandé ton numéro, mais tu es partie, lui disant que ce serait toi qui l'appellerais.

Le soir, tu étais décidée à rappeler Christophe. Qu'il déteste Paris, soit. Mais il avait voulu que tu sois la mère de ses enfants. Tu ne t'expliquais pas cette preuve d'amour et son silence qui durait. Ou alors c'était qu'il t'avait menti ? Tu aurais été fâchée qu'on te dise que c'était à toi de t'amender. Qu'on te dise que tu n'avais rien tenté pour qu'il revienne. Une chapka n'a jamais ému personne. Tu refusais de voir que tu l'avais laissé, mais le doute a germé quand tu as poussé les battants de la cabine. Tu as hésité devant l'appareil. Même s'il répondait, tu ne saurais jamais *la vérité vraie.*

Dans la nuit qui tombait, tu as baissé les bras et fait tinter tes clefs.

COUCOU

Camille t'avait mise en garde. Ils te sortiraient le grand jeu. Ils sauraient te séduire. S'approcher de toi, cils battants, et t'offrir leur visage. Quand tu dirais non à l'un, il afficherait une moue de déception pour revenir t'attendrir quelques secondes après. Ils ne connaissaient pas la honte et disaient tout sans gêne. À te voir passer, ils commenteraient l'allure que tu avais. Rien de méchant : une pensée seulement qui ne restait pas tue. Comme tu étais nouvelle, étrangère et que tu souriais, tu devrais t'imposer.

— Béatrice, ça a pas d'allure ! Tu vas pas laisser tes élèves te mener !

— Je parle des collègues.

— Pardon ? Ils ont quel âge ?

Les Français se montraient sans pitié devant toute différence, tu as vite pris le pli. Tu t'habillais comme eux. Tu avais même maigri. Tu modulais tes *o*, tes *a*, et traînais la finale pour en faire des *e*. Mais tu ne pouvais t'empêcher de dire les mots de ton enfance comme on te les avait appris. Au marché, tu provoquais les rires quand tu demandais des *bébés épinards* ou que tu comptais tes *sous*. On te reprenait, on te trouvait *trop mimi*. Les Français aimaient te taquiner, Julien le premier.

— Coucou !

Tous les matins, tu le croisais sur le chemin de l'école. Cartable en main, il avait une histoire à te raconter. Tous les jours, il portait ses souliers élimés. À mesure que l'heure avançait, vous allongiez le pas sans jamais vous presser. Tu gardais le silence et tes répliques pour quand c'était la peine. Cela le titillait. Quand tu devenais moqueuse, il s'exaspérait. Les collègues riaient à vous voir arriver, Julien gesticulant et ton air amusé. Les enfants s'écartaient pour vous pointer du doigt. Julien était content. C'était un homme qui avait besoin de beaucoup d'attention.

À l'école, il aimait s'asseoir sur le coin de ta table pour t'offrir son aide en déballant un sourire qu'il transformait en soupir quand tu répondais non. Il regardait partout. Saisissait tes crayons. Te quittait, revenait sur ses pas et te pinçait les flancs : « Ha ! »

— Ça te fatigue pas, ses petits jeux ?

— Non, c'est plutôt innocent, je trouve.

— Je crois pas, moi.

— T'as raison. Je vais aviser sa maman.

Vous avez ri comme le soir avant de vous coucher. Il était tard pour toi. Pour elle, c'était l'heure de souper. Pour la première fois, tu avais une avance sur elle. Ta sœur t'a répété qu'elle t'aimait. Vous avez raccroché.

Tu n'as jamais supporté le silence qui suit le combiné posé.

UN AIR DE FAMILLE

Quand vous étiez petites, votre mère vous habillait dans les jolies boutiques. Les autres enfants que vous connaissiez portaient un ensemble en coton ouaté. Les garçons l'avaient rouge. Les filles, rose et orné d'une licorne ou d'un chaton. Ta sœur et toi, c'était vêtues de robes à imprimé Vichy que vous montiez dans l'autobus jaune. Vous ne portiez jamais de jeans, mais des pantalons en chambray. Pour les grandes occasions, vous sortiez coiffées d'un chapeau de paille avec, en bandoulière, une fine lanière retenant une pochette en cuir blanc.

Ta sœur usait plus rapidement que toi ses habits proprets. Elle tirait sur ses manches jusqu'à les déchirer et maculait ses lainages de moutarde. Quand elle jouait dans les bois, elle inondait souvent ses jolis souliers. Parfois, elle oubliait chez ses amies les pièces qui ne lui plaisaient pas, un pantalon corduroy ou un *jumper* à carreaux. Ne gardant que son chemisier blanc et ses collants rouges, elle s'expliquait à votre mère. De ta chambre, tu entendais ses cris et ses larmes. Et le jour est venu où tu as été seule à porter vos tenues d'enfants sages. Avec Jean-Phi, tu jouais de la flûte à bec pendant que Véro courait les champs, les quenouilles et les piqûres de moustiques.

Longtemps, on vous mettait côte à côte pour vous détailler. Vous aviez l'habitude de la comparaison. Véro avait les yeux petits. *Une vraie petite Sauvage,* disait votre grand-père. Toi, tu avais des yeux de Bambi. Les cheveux et le regard plus clairs, mais les sourcils fournis sous une frange inégale qui exaspérait votre mère. Ta sœur avait les cheveux cendrés et un grain de beauté sur la joue. Mais vous aviez *la même face, le même nez.* Vous aviez jusqu'à la même voix. Au téléphone, on vous confondait toujours. Quand tu prenais la ligne, c'était pour te faire répondre : « Véro ? » Votre grand-père, surtout, n'arrivait jamais à vous différencier.

— Non, c'est Béatrice.

— Véro, je comprends pas !

— C'est Béatrice, grand-papa.

— Ah oui ? Béatrice ? Tu es sûre ?

— Je suis certaine, grand-papa ! C'est moi, Béatrice.

Pour jouer de votre ressemblance, on vous faisait porter la même robe à Noël. Sur les bras du fauteuil de velours, tu passais la soirée à te gratter les cuisses aux côtés de Véro, qui avait retiré ses collants en même temps que ses bottes. Chaque année, votre grand-mère les retrouvait derrière le calorifère au moment de vous rhabiller.

Rentrée de ce que votre père avait appelé *sa fugue,* ta sœur a eu un choc. Vos visages ne se ressemblaient plus. Autre chose avait changé. Véro était possédée par un désir de tout réparer. Elle ne cessait de rapporter des *trésors* qu'elle trouvait au chemin pour les retaper dans sa chambre. Ou des amis qui avaient *un bon fond,* mais dont votre mère disait qu'ils avaient *quelque chose qui clochait.* De même, elle s'était attelée à raccommoder tes amours imparfaites par peur de voir ton cœur brisé.

Véro n'aimait pas te savoir seule à Paris. Qu'il t'arrive quelque chose, un chagrin ou une maladie, elle serait impuissante. En prévision du pire, elle avait rempli une petite valise de médicaments en t'interdisant de te rendre dans une pharmacie. Si jamais tu souffrais d'une affection maligne, elle s'occuperait d'arranger ton rapatriement.

Mais ta sœur n'avait rien prévu contre les phéromones de Julien.

QU'UNE LIAISON

Sur les murs de ton appartement, tu as affiché ton numéro pour t'en rappeler. Tu avais un 06, mais tu oubliais la suite. C'était une formule magique, trois vers à douze pieds que tu aimais prononcer. Il fallait dire le 6 sans le *x*, le 8 en minorant le *t* et savoir que les *e* ne restaient pas muets dans les nombres composés. Tu le disais comme un sésame à dix chiffres. Seulement, tu ne t'en souvenais jamais.

Le matin même, quand il t'avait demandé ton numéro, Julien s'était offusqué. Devant son air dépité, tu avais ri, insisté. Il ne te croyait pas. Tout le monde avait un portable ! Depuis que des collègues t'avaient mise en garde contre lui, il est vrai que tu étais moins avenante. Plusieurs t'avaient dit de ne t'attendre à rien. Tu les avais écoutés ; tu faisais toujours ce qu'on te commandait. Julien aimait les filles, au pluriel et en même temps. Camille s'était fait prendre. Et chaque jour qui passait, il prenait avec toi un tour plus pressant.

— J'aimerais qu'on aille à Venise, toi et moi. Ça te dit ?

— Ce week-end ?

— Ah non, mince, ce week-end, je peux pas.

— Pourquoi, tu vas à Venise ?

De son bureau, il retenait son rire. Penchée sur ta copie, tu pincerais les lèvres quand il dirait :

— Mais tu sais que ce sera pas Venise sans toi !

Pour se faire pardonner, il t'accompagnait en classe comme si c'était chez toi à la fin d'une soirée. Accoudé au cadre, il faisait le mignon. Il passait la main sur sa poitrine et te parlait anglais pour cultiver le mystère. Cela excitait les élèves, qui ne comprenaient pas ce qu'il disait. Un matin, il t'a annoncé que vous iriez le soir t'acheter un portable. On te prendrait un truc de base. Sans engagement. Il avait l'œil fier et le sourire satisfait.

— Au fond, tu ne m'offres rien de plus qu'une liaison... ?

Tu l'as choisi simple en te disant que cela ne t'importerait pas le jour où tu le briserais, où on te le volerait, où tu l'oublierais comme une partie de toi sur la chaise d'un café. Quand tu l'entendrais sonner pour la première fois le lendemain, tu réaliserais que c'était ton cœur, ce téléphone-là. C'était ton cœur qui battait pour Julien qui t'appelait à grand bruit au retour de l'école. Tu as laissé sonner et la sonnerie a cessé. Il a rappelé. Tu t'es précipitée pour répondre oui. On n'entendait que des bruits et quelque chose au loin. Une voix étouffée. Sous les toits en pente, tu as marché pour mieux recevoir les ondes. Julien disait qu'il ne te captait pas. Tu as ouvert la fenêtre pour passer la tête au-dehors. Le bruit de la pluie est entré avec l'air et sa voix.

Il t'a demandé : « Et puis ? » Tu as répondu : « Venise ? » Au téléphone, tu l'entendais sourire. Tu dirais : « Camille ? » Julien a soupiré. Tu apprendrais qu'ils étaient restés copains, mais qu'elle avait gardé quelque chose d'acerbe. Elle l'avait laissé, il ne savait pas pourquoi. Peut-être parce qu'il avait moins d'argent que son autre mec ? Tu étais choquée. « Elle avait deux amants ? » Julien t'a narguée.

— Bien sûr, qu'est-ce que tu crois ? Il lui faut un homme qu'elle aime et un autre qu'elle n'aime pas...

— Et ta copine de Venise ? Qu'est-ce qui lui est arrivé ?

— Oh rien. C'est moi. J'ai annulé.

— Pourquoi ?

D'en bas, Julien a relevé la tête. Il ne te voyait pas. Il a gardé le silence avant de dire qu'il n'en avait plus envie. Nerveusement, tu as redemandé pourquoi.

— Tu vois, elle, je l'aimais pas.

TOUS LES GARÇONS SAUF LUI

— Béa, te rappelles-tu comment l'histoire a fini la dernière fois ? Moi, je revivrai pas ça, certain. N'importe qui, mais pas un gars, qui va te séduire pour te jeter après. T'es pas du *cheap romance* !

Tu partirais à la cueillette de petits Français. Dans ton joli panier, tu ramènerais chez toi n'importe quel garçon. N'importe qui, mais pas *lui*, avait dit ta sœur. C'est facile, il suffit de mettre la robe qui te fait une poitrine en cœur. Que tu souries au vent et les hommes croiront que c'est de désir. Ils crieront « Mademoiselle ! » en levant haut la main. Tu n'auras qu'à choisir celui à qui tu feras monter l'escalier raboté.

— Pense à maman. Elle serait tellement fière que tu aies *plusieurs* amants !

Depuis qu'elle te savait à Paris, votre mère t'imaginait écumer les boutiques du Faubourg Saint-Honoré. Tu n'avais pas osé lui dire que tu n'avais qu'une robe et qu'elle était trouée aux aisselles. Tu avais adopté le style Cossette des Parisiennes, oripeaux et yeux charbonneux. Lui cachant ta misère et l'argent qui fuyait, tu t'étais inventé une vie de baisers et d'ivresse comme elle croyait que Paris c'était. Et quand tu n'en pouvais plus de compter tes sous, tu prenais une cure d'abondance dans le sixième arrondissement. Tu t'attablais près de garçons trop beaux et de filles dont les jambes semblaient ne finir jamais. Tu buvais un Coke Diet à dix dollars en regardant les vieilles trop maquillées. Dans les boutiques qu'on aurait dit que la propriétaire vivait à l'arrière, tu jetais un coup d'œil à ce que votre mère aurait effleuré de la main. Des chapeaux, des mouchoirs, des dentelles, des parapluies dont elle aurait mesuré le travail en disant : « Si c'est beau ! » Tu n'achetais rien et, sur le chemin de la maison, tu flattais ton ventre lisse et ta faim. Mais tu lui racontais que tu avais grossi à manger tous les jours des plats en sauce et des pâtisseries.

Pour votre mère, les Français vivaient de romance et de bohème. Dès lors, tu lui taisais l'ennui dans lequel te plongeaient tes rendez-vous galants. Quand l'un te disait une bêtise, tu appuyais ta main sur ta joue. Quand l'autre te posait une question idiote, tu pensais comme Julien savait t'amuser. Tu ne retrouvais jamais cette complicité, incestueuse presque, que vous aviez ensemble. Quand tu t'apercevais que ce n'était *jamais* la même chose qu'avec lui, tu avais la politesse triste.

Tu savais qu'aucun ne serait l'homme de ta vie, mais au moins c'était quelqu'un dans ton lit.

QUI C'ÉTAIT

Un vendredi de septembre et de pluie, tu remontais le Canal d'un pas pressé, tête baissée et le foulard trop grand. Tes cavalières battaient le sol quand tu as cru voir Christophe dans la file du cinéma. Tu as retrouvé le garçon dans la salle. Par curiosité, tu t'es assise derrière lui. Il avait l'allure d'un gringalet qui aurait bien vieilli. Se sentant regardé, il s'est tourné vers toi. Ses cils battaient. Tu lui as souri. Il t'a saluée. Comme le film commençait, il t'a fait signe qu'il te parlerait après. Il avait les oreilles décollées et un caban sur lequel il avait noué son foulard en P.

— Alors, Marie, comment ça va ?

Personne ne t'avait appelée Marie depuis l'école primaire. Tes parents t'avaient baptisée Marie-Béatrice, une combinaison que tu avais toujours détestée. Quand elle voulait te fâcher, ta sœur t'appelait Marie-Marie. Sauf Jean-Phi, personne ne connaissait ton prénom secret. Décontenancée, tu n'as rien pu dire sinon que tu allais bien, merci.

Manifestement, il pensait te connaître. Il était si heureux de te retrouver que cela te gênait de le détromper, d'autant plus que rien ne prouvait que tu ne le connaissais pas. Peut-être avait-il passé son enfance à Victoriaville ? Comme il faisait froid, tu as suggéré de rentrer. Il a dit oui, bien sûr que oui, avec le même entrain que Christophe aurait mis. Il a ajouté qu'il fallait *absolument* que vous vous revoyiez. Il a pris ton numéro et tu es partie sans savoir qui c'était.

Le lendemain, il t'a téléphoné pour te proposer un café. Il avait les yeux grand ouverts au moment où tu as pris place devant lui. Il t'a emmenée dans un bistro aux plafonds bas, tables de bois et tuiles au plancher. Le menu était classique, bifteck, canard confit, pommes de terre sautées. Deux verres de bordeaux et un fondant au chocolat. Il parlait et tu ne pouvais t'empêcher de rire à sa manière incongrue d'exister. Quand il a réglé l'addition, tu as entendu la voix de Julien approuver : ce n'était pas un con. Pour la suite, il t'a proposé un dernier verre. S'il avait voulu rentrer seul et dormir, il aurait suggéré un thé.

Quand vous êtes sortis du resto, tu t'es accrochée à son bras sans même sentir la pluie. D'habitude, tu ne dormais jamais chez les hommes, leur préférant ton lit. Mais tu l'as suivi en marchant à grands pas. Au tournant d'une rue, il a poussé la porte d'un immeuble. Dans la cour, le plâtre tombait. La lumière chevrotante s'est éteinte. En silence, il a cherché la serrure avec sa clef. Quand vous êtes entrés dans la nuit de son appartement, tu as pris ses lèvres et le bout de sa langue. Tu as acquiescé à ses doigts sur ton cou et tu appellerais ses gestes dans la nuit.

À l'aube, tu sortirais la culotte encore humide. Et même si c'était le noir et le ciel bas, ton visage était frais. Tu vivais l'approche du jour comme ce qui avait suivi ton premier vol de nuit. Malgré une ampoule à ton pied, tu étais portée par une légèreté que les ouvriers sifflaient.

En poussant la porte cochère, tu cherchais encore quel était son prénom.

AU PARADIS

Il y avait quelque temps que tu avais pris le parti de fuir Julien. À l'école, tu empruntais le corridor des grands pendant qu'il te cherchait dans celui des sixièmes : « T'as pas vu ma petite Béatrice ? » Tous vos collègues croyaient qu'il avait *conclu*. Personne n'aurait cru que tu mettais dans ton lit tous les garçons sauf lui. Aussi était-ce naturellement qu'on t'avait appelée pour « vous » inviter à dîner. « Vous » n'étiez pas un « nous », as-tu répondu. Du reste, tu étais occupée. Trois minutes plus tard, Julien te rappelait. Tout en jetant des feuilles de thé dans ta porcelaine, tu expliquais que tu avais rencontré *l'homme de ta vie*. Julien t'a demandé comment il s'appelait. Tu ne te souvenais pas. Il s'est moqué. Tu lui as assuré que cela n'empêchait rien. Vous avez raccroché. Tu sautillais en fredonnant que, voilà, ce n'était pas plus compliqué que cela.

D'une main, tu tenais un plateau. De l'autre, tu poussais la vitre pour faire ce à quoi tu rêvais depuis ton arrivée. Tu as enjambé la fenêtre. Le toit n'était pas plat, mais on pouvait s'y tenir en crampant les orteils. Devant le lac de maisons grises, tu tenais ta tasse entre tes mains comme il ne fallait pas. Ton téléphone a sonné. Quand tu as répondu, une petite voix a dit coucou. Pour le cas où tu n'aurais pas deviné, il a cru bon d'ajouter : « C'est moi. » De sa voix plus aiguë, il a demandé : « T'es où ? » À l'endroit qu'on appelait chez toi le *paradis.* Il t'a demandé si tu étais seule. Tu regarderais en bas. Julien t'envoyait la main depuis la rue.

— Je peux monter ?

Tu as soupiré « oui » comme on cède un baiser. Mais le son coupait. Il a fallu t'adresser au ciel pour que Julien comprenne. Tu as raccroché en sentant ton cœur battre près des oreilles. Assourdie, tu n'entendais que ses pas monter le vieil escalier. Sur le toit, tu te disais qu'il n'y aurait pas de suite. Tu en faisais le serment aux oiseaux. Au contraire de Camille, tu ne coucherais *qu'une fois.*

C'est en titubant que tu te rendrais à la porte que Julien grattait. Tu as ouvert et il t'a tendu une bouteille de blanc. Puis il a posé sa joue en complément d'où tu poserais la tienne. Tu ne t'étais pas rapprochée qu'il a baissé son menton pour chercher ton baiser. Sa chemise avait une odeur sucrée. Vous vous êtes embrassés. Il s'est penché pour la force et l'appui. Cambrée sous sa bouche, tu l'as pris par la main et tu l'as mené jusqu'au lit.

Tu l'as regardé déboutonner sa chemise. Il avait des mains trop grandes et des muscles rebondis. Relevant la tête, il était surpris de te trouver vêtue. Après t'avoir étendue, déshabillée, embrassée, prise, retournée, couchée, caressée, léchée, montée, assise, juchée et reprise dans un mouvement qui te semblait perpétuel, Julien s'est endormi, le poids de ton sein dans sa main.

— Bonne nuit, Juliette.

Son ventre contre ton dos, vos pieds entremêlés, vous entendiez, dehors, les premiers pigeons caracouler.

TON JUL'

Depuis qu'elle savait Julien ton amant régulier, Véro ne tenait plus en place. Il fallait qu'elle le voie.

— Tu te rappelles ce qui est arrivé en février ? Moi, j'ai pas oublié.

— C'est pas pareil...

— Passe-le-moi, je veux lui parler.

Julien avait décliné l'invitation. Cela ne changeait rien, disait-elle, puisqu'elle viendrait te rendre visite. À l'annonce de cette nouvelle, Julien avait caché son excitation. Il faut dire que tu lui avais présenté ta sœur comme le Jugement dernier.

À l'école, les collègues aimaient le complimenter pour sa tenue de la veille. Derrière sa crinière brune, il souriait tant qu'on ne pouvait s'empêcher d'être content pour lui. Avant de commencer sa journée, il venait toujours te murmurer quelque chose à l'oreille. Parfois, il n'avait pas le temps de parler que tu levais la tête, ton visage porté vers l'arc de ses sourcils.

Quand tu lui donnais ton sourire sans énigme, il s'approchait :

— C'est quand qu'on fait l'amour ?

— Pas tout de suite, Julien.

— Pourquoi ? J'en ai marre, moi.

Les élèves, les collègues, la secrétaire et jusqu'à ton voisin atrabilaire te félicitaient de ce que Julien *mangeait dans ta main.* Tu riais sans les croire. Depuis Christophe, tu ne savais plus ce que c'était, *l'amour pour de vrai.* Tu embrassais Julien en te jurant qu'on ne t'y reprendrait pas.

Quand tu le questionnais sur *les autres filles,* il faisait un grand geste de la main en disant que tu ne lui en laissais pas le temps. De fait, vous ne vous quittiez jamais. Sous sa superbe, tu lui découvrais quelque chose d'un peu frêle. Et une certaine tristesse qui te faisait l'aimer quand il jouait de la guitare, les cuisses cachées sous un drap de laine taupe. Tu t'étendais près de lui en prélude à la sieste. De près, Julien te semblait plus beau qu'avant. Plus grave et plus vivant, même. Il avait une aisance à te regarder. Une générosité franche. Dans la fraîcheur de son appartement, il te prenait en silence, face à face, longtemps et le souffle court. Et la jouissance te venait par deux fois, comme une joie que tu n'attendais pas.

Même ta sœur a concédé que *ton Jul'* avait chassé les mauvais jours de la dernière année. À l'été, tu lui avais téléphoné tous les soirs pour lui expliquer ce qui faisait de Christophe l'homme de ta vie. À l'hiver, tu l'avais appelée, sans même t'en rendre compte, pour lui dire que tu n'en pouvais plus. Tu t'ouvrais les veines.

Février, l'eau coulait quand elle était entrée avec le froid du dehors. Elle était allée directement à la salle de bains, sans même enlever ses bottes enneigées, pour te trouver nue, prostrée devant le miroir, les yeux creux et le visage rougi. Véro t'avait prise dans ses bras, trop fort, comme la sœur un peu brusque qu'elle était. Elle avait étouffé un sanglot violent puis, se ressaisissant, elle avait répété ton prénom tout bas. Elle t'avait serrée une dernière fois, puis elle t'avait assise sur la toilette, le temps de s'occuper de tout.

Elle avait d'abord fermé les robinets. Elle avait emporté le couteau hors de la salle de bains et l'avait glissé dans sa besace, qu'elle avait laissée sur le tapis de l'entrée. Puis elle avait retiré ses bottes, son manteau. Elle était revenue s'asseoir sur le rebord de la baignoire. En ajustant la température de l'eau, elle t'avait demandé si tu voulais des huiles ou de la mousse. Tu ne voulais rien. Elle avait saupoudré de sels le fond de la baignoire et elle t'avait tendu la main. Tu n'avais pas bougé. Elle s'était levée pour t'aider à te glisser dans la baignoire. L'eau t'arrivait en haut des chevilles. Pour te réchauffer, elle prenait l'eau du bain et la faisait couler le long de tes jambes. Tu avais posé ta main sur son épaule, puis tu t'étais accroupie.

Plus tard, Véro te mènerait jusqu'à ton lit. Te borderait en serrant les draps sous toi. Et, maladroitement, te caresserait les cheveux. Elle secouerait la tête. Tu ne te rendais pas compte. Ton malheur était trop doux pour en mourir. Au réveil, tu aurais oublié.

Ta sœur t'aimait, mais tu ne savais pas ce que tu faisais.

À SA VOIX

Toute sa vie, Christophe avait entendu la voix de sa mère le houspiller. « Mais Christophe, enfin, pas comme ça ! » Christophe se protégeait de ses sautes d'humeur sachant qu'elles passeraient. Mais les compliments qu'elle ne donnait jamais sans décocher un coup bas l'atteignaient chaque fois. Le pire, c'est lorsqu'elle disait l'aimer. Alors il devait s'avouer que ses mots d'amour n'étaient pas plus vrais que ses méchancetés.

Même si l'Atlantique les séparait, il l'entendait si bien qu'il pouvait l'imiter parfaitement. Avec Laure, c'était d'ailleurs un de leurs jeux préférés même s'il n'y avait qu'eux deux que cette voix faisait rire. On pouvait confondre le timbre de sa sœur avec celui de leur mère, mais Christophe rendait mieux son théâtre. Devant leur père, ils n'avaient cependant jamais osé l'imiter.

Christophe aimait le Québec parce qu'il n'entendait pas sa mère quand une femme parlait. S'il te trouvait jolie, c'était ta voix à la fois roulante et posée qui l'avait accroché. À ta voix, il t'avait jugée *maternelle.* Quand Maité lui avait dit que tu étais enseignante au primaire, il s'était emballé. Il ne lui en fallait pas plus. Christophe était un rêveur carré.

Il t'avait haïe de refuser ses rêves. Puis il a fait ce qu'il faisait toujours, il a laissé passer le temps. En trois semaines, sa mère aurait changé d'idée. En trois semaines, il pensait que tu aurais compris qu'il valait mieux un cottage à Montréal que douze mois à Paris. Aussi ne saurait-il que penser lorsque, récupérant son courrier à son vieil appartement, le nouveau locataire lui tendrait une chapka en mouton.

Quelques jours plus tard, il rencontrait une fille aux yeux verts. Un peu plus vieille que toi. Cela réglait la question. Avec elle, c'était parfait, à table comme au lit, mais il avait noté qu'il n'y avait pas cette éclaircie qui apparaissait lorsque vous étiez *seuls ensemble.* Le phénomène était beau comme un ciel d'été. Chaque fois, c'était comme si tu avais attendu toute ta vie pour rire.

Marie-Claude, elle s'appelait, voulait des enfants. Pas tout de suite, mais elle n'avait pas de temps à perdre. Christophe comprenait. Cela faisait quelques semaines qu'ils se fréquentaient quand elle lui avait proposé d'emménager ensemble. Christophe était d'accord. Pourtant il avait hésité. Plutôt que de se l'avouer, il lui avait proposé de se marier. Pas l'été qui venait, ce serait trop rapide, mais l'été suivant ?

Marie-Claude avait accepté. Ils s'étaient fiancés dans l'intimité. Elle avait trente-quatre ans.

Cela faisait un an qu'il ne t'avait pas vue au moment de réserver son billet d'avion pour Noël. À la pensée d'annoncer ses fiançailles à sa mère, la peur l'a pris de rater sa vie. Christophe savait que tu serais à Paris, toi aussi. Au lieu du 23 comme il en avait l'habitude, il a choisi d'atterrir le 18. Cela lui donnerait le temps de te revoir avant les célébrations.

Si rien n'avait changé entre vous et que tu l'aimais assez pour lui revenir, Christophe avait résolu de ne pas se marier.

CLAUDE FRANÇOIS

Le train filait vers Dieppe. C'était les vacances de la Toussaint et Julien t'avait invitée dans sa famille. Mais il n'était pas question que vous dormiez ensemble. Ce n'était pas que sa mère veillait sur le respect des convenances. Elle était de celles qui ne voulaient pas admettre que leur fils soit l'homme d'une autre femme. La tête penchée vers la fenêtre, tu apprenais qu'il avait été un adolescent laid. Et même un peu gros. Il voulait t'attendrir, mais il avait grandi dans la confiance et l'aise d'une famille plutôt riche. Lorsqu'il se rappelait de quel monde tu venais, il était saisi, comme s'il avait oublié que les pères n'étaient pas tous médecins.

On t'a accueillie en princesse. Vous avez laissé les hommes débattre des présidentielles le temps que Michèle te fasse visiter la maison au toit plat. Tu avais imaginé une dame à la vieillesse maigre, de longs cheveux et une bouche de tortue. À la place, tu trouvais une petite femme aux boucles teintes en blond.

En foulant le tapis qui menait aux chambres à coucher, tu regardais les tableaux, le marbre et les antiquités. Quand tu t'es retournée pour dire que c'était magnifique, Michèle s'est gentiment moquée de ton accent.

La mèche sur le front, Jean Dumas ne comprenait pas pourquoi tu avais quitté le Canada. À table, tu as répondu comme toujours. Tu étais venue à cause du froid. Les Dumas ont opiné.

— Ça doit vous manquer un peu quand même, non ? Les paysages, la banquise ?

— Oui, c'est terrible, maman. Parfois Béatrice fait des crises si violentes que je dois l'amener d'urgence chez Picard Surgelés.

Sa mère avait le rire facile en présence de son fils, qu'elle appelait « mon caprice ». De fait, le dernier-né avant Julien s'appelait Benjamin.

— Et Benj, comment il va ?

— Oh, tu sais, un divorce, ça ne se passe jamais bien. Tu devrais le voir un peu plus souvent.

— Benj ?

— Mon grand-frère.

Quand tu as demandé ce qui avait motivé le choix du prénom de Julien, Michèle a échappé un cri. Elle avait voulu le baptiser Claude en mémoire de Claude François, mais le père de Julien avait refusé net. Sa mère avait boudé jusqu'à ce qu'il propose Julien, « Ma préférence » venant de lancer la carrière de Julien Clerc.

On t'a resservi du lapin. Jean Dumas a fait mine de te verser un peu de vin, que tu as refusé. Encore perplexe, il t'a demandé ce que tu étais venue faire à Paris. Sa femme a répondu :

— Mais Jean, qu'est-ce que tu crois ? Elle est venue trouver l'amour, n'est-ce pas ? Et elle l'a trouvé... Béatrice, vous prendriez bien un peu de chèvre ?

— Non, merci ! Je suis pleine...

— Eh ben voilà !

Jean Dumas semblait éprouver un mélange de surprise et d'effroi. Michèle exultait. « Pas de vin, pas de chèvre. Je savais ! » Elle l'avait deviné la minute où elle t'avait vue.

— Mais cela fait combien de temps que vous nous cachez cela ?

Au moment où tu comprendrais la nature du malentendu, le cœur de Julien venait tout bonnement d'exploser.

III

AUTOMNE

Quand on s’est connus,
Quand on s’est reconnus,
Pourquoi se perdre de vue,
Se reperdre de vue ?
Quand on s’est retrouvés,
Quand on s’est réchauffés,
Pourquoi se séparer ?

JEANNE MOREAU

À PARIS

À l'aéroport, dimanche, tu as respiré. Tu aimais Orly pour la jetée et les couleurs qu'on aurait dit sorties des Trente Glorieuses. Près de la sortie, tu l'attendais et vous avez crié. Cela faisait trop longtemps. Ta sœur t'a trouvée maigre en te palpant le ventre. D'une beauté un peu fripée, elle te détaillait sa tenue d'avion : un chandail noir, une jupe de dentelle et des bas léopard. Elle avait troqué ses talons rouges pour des ballerines, plus confortables. Mais son voyage avait été gâché par un champion de hockey cosom. La voyant somnoler, et comme si c'était chose naturelle, il lui avait plusieurs fois offert de dormir la tête sur ses cuisses. Elle l'aurait giflé si la rangée d'en arrière n'avait pas été occupée par trois enfants.

Sur le chemin qui menait au train de banlieue, vous avez acheté du café, des croissants. Les Français se retournaient sur votre passage, comme devant trop d'intimité. En descendant l'escalier, ta sœur t'a demandé des nouvelles de Julien. Il était égal à lui-même : plus grand que nature. Mais la fatigue le rendait bougon. Dans novembre avancé, ses cernes donnaient à ses yeux un reflet violet. Quand tu as voulu l'embrasser avant de partir, il s'était dérobé pour enfouir son visage dans l'oreiller, grommelant que tu avais bougé toute la nuit.

— Si c'était pas ta sœur, je serais jaloux !

Devant les rails, Véro déchirait doucement les croissants pour en manger les miettes. Elle avait le regard des jours où elle s'inquiétait pour toi quand elle t'a demandé s'il avait d'autres raisons d'être jaloux. Elle n'a pas ajouté que, la semaine précédente, elle avait croisé Christophe au coin de Mont-Royal et de Saint-Denis. C'était Maité qui l'avait reconnu. « Mais Christophe, comment tu vas ? Ça fait un bail qu'on t'a pas vu ! » Sous sa chapka, il avait pris son air patient, mais pressé de partir. Ta sœur avait gardé le silence, laissant Maité mener la conversation. Elle guettait le détail, l'indice, l'hésitation qui le trahirait. Ce serait les yeux trop grands qu'il ferait pour demander de tes nouvelles avant de vous quitter.

— C'est pas plutôt d'un autre homme qu'il serait jaloux ?

Tu t'étais promis de ne pas en parler, mais Christophe t'avait écrit. Il serait bientôt à Paris. Tu attendais que ta sœur se fâche et qu'elle en dise du mal. Qu'elle te rappelle l'épisode de la salle de bains. Retournée à ses croissants, elle t'a simplement dit qu'elle se doutait que cela arriverait.

— Il vient quand ?

— Cette semaine...

— Qu'est-ce qu'il veut, tu crois ?

— Me revoir.

— OK, mais si tu devais choisir... Christophe ou Julien ?

Tu lui en as voulu de poser la question. D'autant plus que tu avais l'impression qu'elle aurait choisi celui dont tu ne voudrais pas. Ta sœur souhaitait ton bien, mais elle voulait toujours le contraire de toi. Tu t'es tournée vers la fenêtre. Les pavillons aux toits de tuiles défilaient. Au loin, on discernait la tour Eiffel. D'une voix pleine d'affection, comme pour se racheter, Véro a dit :

— Béa, te rends-tu compte, tu habites à Paris !

LA BELLE ENTENTE

Tu as poussé la porte de chez toi. Dans cette lumière de jardin d'hiver, Véro a posé ses bagages. Elle s'est arrêtée un temps en détaillant les lieux, le bahut de chêne, la petite céramique, les chaises volées aux Tuileries, la table qu'on dépliait du mur et la mer d'immeubles haussmanniens qui s'étalait par la fenêtre. C'était charmant, vraiment. Tu t'es détournée. Elle le disait pour te faire plaisir. Ta sœur s'est récriée. Tu savais qu'elle préférait le cachet des immeubles décrépits.

— Mais tu aimes mieux l'Asie, c'est ça ?

— Non, vraiment pas.

— Alors, c'est quoi ?

— C'est rien. Occupe-toi pas de moi.

Véro a passé une main dans ses cheveux. D'une voix flapie, elle t'a dit que sa nuit blanche venait de lui tomber dessus.

— Béa, faut que je dorme.

Sous les pentes du toit, tu as ouvert le sofa. Dans un bâillement, elle te dirait comme elle était contente de te retrouver. Elle s'est assoupie le temps de rêver au désert de Gobi. La scène se déroulait en plein jour dans un lieu qu'elle n'avait jamais visité. Lee dépeçait un gamin encore vivant. Un autre enfant ricanait à ses côtés. Se redressant, elle s'est cogné la tête au plafond en pente. Véro a pesté au milieu des draps. Tu t'es dit que tu l'avais laissée dormir trop longtemps. Il faisait presque noir, tu l'emmènerais manger.

Au restaurant, vous feriez des plans pour le lendemain. Tu la laisserais récupérer dans la journée pendant que tu enseignais. L'après-midi, elle pourrait arpenter le Marais avant de vous retrouver, Julien et toi, pour l'apéro. Tout à coup, elle n'avait plus envie de le rencontrer.

Le serveur a posé devant vous deux verres de vin blanc. Tu as pris une gorgée. C'était un Chardonnay. Ça n'allait pas du tout. Tu t'es levée de ta chaise, ton verre à la main. Tu voulais forcer le garçon à goûter. Toi qui parlais si doucement que les Parisiens ne t'entendaient jamais, tu as haussé le ton, insistante. Quelques clients se sont tus, te croyant sur le point de lui lancer ton vin au visage. Un autre serveur est arrivé en vous tendant les deux verres de Sancerre que tu avais commandés. Il t'a retiré l'autre verre avant de s'excuser. Tu t'es rassise, le cœur battant. À ta sœur, tu as expliqué qu'il fallait toujours en rajouter avec les Parisiens.

Vous avez trinqué en pensant toutes deux que vos retrouvailles avaient quelque chose de fâcheux.

GUEULE DE NUIT

Lundi, vous avez, Julien et toi, traversé Château-d'Eau, la foule des filles roulant des hanches et l'odeur des ongles d'acrylique. De loin, tu as vu ta sœur gesticuler devant un homme se tenant trop près. Tu ne lui avais pas envoyé la main qu'elle le plantait sur le trottoir pour foncer jusqu'à vous. Sans un regard pour toi, elle lancerait à Julien, sur un ton défiant :

— Ça t'arrive souvent de faire attendre les filles au coin de Sébastopol ?

— Oh, putain, désolé !

— Putain, oui.

Elle vous avait attendus en s'étonnant du nombre de Chinoises portant des bottes hautes. Un homme s'était arrêté devant elle. Il avait souri, c'était son jour de chance, et lui avait tendu trois billets de vingt euros avec un air un peu chafouin.

— C'est la première fois que je te vois ici...

— Pas mal, a commenté Julien.

Véro était plus petite, mais elle a soutenu son regard. Julien a souri. Légèrement, mais assez pour signifier que cela avait tout de même quelque chose d'amusant. Véro a relâché ses épaules. Comme une poupée, ses bras ont suivi. Et le cou. Tête penchée, ses cheveux formaient un rideau. Accablée par le poids de la vie, brusquement, elle a relevé la tête comme si de rien n'était.

Sur la rue du Faubourg Saint-Denis, Julien t'a prise par l'épaule pour te faire tourner. Vous avez marché derrière les pigeons, ta sœur racontant sa journée : les boutiques indie, l'appartement de Victor Hugo et les touristes italiennes avec leurs les verres fumés. Quand vous avez passé une Rom accroupie, son visage caché dans sa jupe longue, ta sœur s'est arrêtée de parler. De bouger même. Elle a cherché dans son sac un billet de dix euros. Julien l'a rabrouée, c'était trop. Sa main couvrait la sienne, puis il l'a retirée, interloqué. Ta sœur était au bord des larmes. Toi, tu n'avais rien remarqué en poussant la porte de chez Jeannette.

C'était un boui-boui qu'on avait transformé en posant des néons au-dessus du comptoir de formica. Tout était *décalé,* faisait clin d'œil, à commencer par le chandelier aux abat-jour rouges qui pendait du plafond. L'ambiance était festive. La clientèle, parigote, mais au second degré. Les femmes portaient un chignon trop haut, une bouche rouge et des robes noires dont se serait vêtue la Môme. Dans leurs vestes froissées, les hommes avaient la carrure, le port et la voix tonnante des anciennes vedettes de cinéma français.

Plissant des yeux sous l'éclairage, Véro a commandé un verre de rouge, mais le garçon ne l'écoutait pas. Julien a demandé un demi et un verre de bordeaux pour la demoiselle. Ta sœur gardait sur la fenêtre ses yeux fatigués par les néons et la tristesse. Retirant ton manteau, tu as levé le nez pour dire que tu prendrais un Coca Light, s'il vous plaît. N'entendant que ta voix, le serveur a roucoulé :

— Oh, mais on dirait presque une Parisienne.

— Oh, mais on dirait presque un compliment.

Ta sœur a ri dans un éclat de joie qui n'a pas duré. Le notant, Julien lui a demandé ce qui l'avait tant déçue de la vie. Il avait posé la question sur le même ton que s'il avait voulu savoir ce qu'elle avait fait la veille. Au lieu de se braquer, ta sœur a répondu tranquillement :

— Ça se raconte pas à l'apéro.

— Vous avez raison. Je vous demande pardon.

Julien n'a pas insisté. Tous deux avaient compris la gravité du moment. Quelque chose du passé de ta sœur affleurait. C'était le voyage et ta naïveté, sans doute. Mais c'était aussi Julien qui la perçait à jour d'une manière si affable que cela la désarmait.

Toi, le menton dans la paume, tu as demandé pourquoi il la vouvoyait ? Et ce qui pesait dans l'air s'est dissipé quand il a répondu, en se croisant les jambes, que c'était parce que ta sœur était une dame.

OULAN BATOR

Toute son adolescence, elle avait rêvé de partir. Avide d'ailleurs, elle irait le plus loin possible. Elle voulait l'étrangeté dans toute sa splendeur : un alphabet qu'elle ne comprenne pas et rien qui ne lui rappelle la vie dans une ville de taille moyenne du nord de l'Amérique. C'est en regardant l'émission *La Course Destination Monde* qu'elle a décidé sa trajectoire : ce serait l'Inde, le Népal, la Chine, la Mongolie et la Russie.

Véro avait dix-huit ans, presque dix-neuf quand elle a fait ses bagages. Au fond d'un grand sac à dos acheté chez l'Aventurier, elle a placé une paire de bottes, ses chandails. Puis elle a étagé ses jeans, ses chemises de flanelle et de grands t-shirts roulés comme des croissants. Une trousse de voyage : brosse, médicaments, préservatifs. Un roman de Dostoïevski et une photographie de vous deux, fillettes, sur une plage du Nouveau-Brunswick. Dans son bagage à main, elle gardait son passeport et 6 000 $ US en chèques de voyage, soit le montant qu'elle était parvenue à économiser de son salaire de sauveteur à la piscine municipale.

Elle vous avait dit qu'elle se baladerait en France et, à la fin de l'été, irait faire les vendanges dans la Loire, sachant que c'était le seul projet de voyage auquel votre père aurait donné son assentiment.

Véro avait une grande admiration pour lui, mais ils se disputaient souvent. Autoritaire, votre père avait une idée arrêtée de la manière qu'il vous fallait mener votre vie. Avec toi, c'était facile ; tu cherchais son approbation. Mais ta sœur lui résistait : elle voulait faire les choses à sa façon. Peu importe ce qu'il voulait pour elle, Véro ferait le contraire. S'il fallait étudier, elle courait les flirts. S'il fallait vous mettre belles, elle expérimentait, comme disait votre mère.

À dix-huit ans, presque dix-neuf, elle ne faisait plus qu'à sa tête, quitte à leur mentir. Elle pensait maintenant que l'avenir l'appelait au nord-est de l'Asie. Le cégep terminé, elle a pris l'avion pour Paris, puis, de là, s'est envolée pour New Delhi. Mais, dès son arrivée en Inde, les choses ont mal tourné. On lui a volé son sac. Ne lui restait que l'argent, son passeport et la tenue qu'elle portait ce jour-là. Au Népal, on ne l'a pas laissée entrer. Du coup, elle a renoncé à la Chine pour se rendre directement à Oulan Bator. Là-bas, elle a fait la connaissance de Lee, un Australien de vingt-cinq ans qui partait pour le Kazakhstan.

C'était la première fois qu'un homme l'impressionnait par sa lucidité. Lee passait de données pointues liées aux coutumes locales, des faits que lui seul semblait connaître, à des exposés de géopolitique d'un pessimisme impitoyable. Il déployait sa pensée avec le magnétisme froid de celui à qui on n'a jamais rien refusé.

Ta sœur avait remarqué que les gens ne parlaient que de lui à l'auberge de jeunesse. Il faut dire que, Lee venant d'une famille qui s'était enrichie dans les mines, il n'hésitait jamais à payer des tournées. Dans la rue, les filles lui adressaient un sourire gêné lorsqu'il les croisait. Les enfants le fixaient. Il avait une force d'attraction telle que ta sœur, même, avait dévié de sa trajectoire pour lui. Deux jours après s'être rencontrés, ils partaient ensemble dans l'arrière-pays mongol. C'est sous son emprise que le cauchemar a commencé.

D'abord, ç'a été sa façon de reprendre son anglais. Il le disait en riant, mais c'était tout de même ridicule, cet accent et les mots qu'elle choisissait. Puis ç'a été les commentaires désobligeants sur son physique, sa tenue, sa posture. De son point de vue, Véro devait changer sa manière d'exister. Décontenancée, ta sœur lui rétorquait qu'elle ne comprenait pas ce qu'il faisait avec elle si elle était si moche que cela. Redevenu charmeur, Lee lui demandait qui était la fille qu'il aimait ? Le jeu exigeait qu'elle réponde : « Moi. »

Après le dîner, souvent, ils allaient chacun de leur côté. Lee avait bien fait comprendre à ta sœur qu'il tenait à son *me-time*. Quand il la retrouvait, il avait pour elle un cadeau, un vêtement, un bijou que Véro devait porter lorsqu'il la sortirait. Dans la rue, Lee ne lui tenait pas la taille ni l'épaule, mais serrait son cou de ses doigts en souriant aux passants.

Un après-midi qu'elle avait oublié son portefeuille à l'hôtel, ta sœur était retournée à la chambre. La porte, sans verrou, était restée entrouverte. Véro l'avait simplement poussée. Sur le lit, qui n'avait pas été fait, Lee se dressait, torse nu, maigre, derrière une enfant, dont il agrippait les os du bassin. Il n'avait plus de visage. La fillette, appuyée sur ses mains, fixait le vide d'un regard morne. Tout s'est arrêté. Puis Véro a reculé sans refermer la porte.

Elle a descendu l'escalier en courant. À la réception de l'hôtel, elle a tenté de récupérer son passeport.

— Pay ! Pay !

Elle finirait par comprendre qu'on ne le lui rendrait que si elle réglait la note. Elle fouillait dans son sac quand Lee est arrivé. « T'en va pas. Je sais, je suis complètement stupide. » Il était défoncé. La sorte de sourire qu'il esquissait et ses yeux sans âme, sans lumière, c'était comme si Lee avait perdu forme humaine. Sentant une terreur la gagner, ta sœur a dit, lentement, qu'elle voulait vraiment s'en aller. Lee a soupiré, comme résigné. Son visage avait retrouvé un air de regret et de bienveillance, presque. « Viens au moins chercher ta valise. » Ta sœur, se croyant plus forte qu'elle ne l'était, l'a suivi dans l'escalier.

Ce qui s'est passé dans la chambre ensuite, personne ne le saurait. Au réveil, deux jours plus tard, Véro peinait à se lever. Dans le miroir, son visage était méconnaissable. Elle a fourré dans sa besace les 1 000 $ US que Lee avait laissés sur la table de chevet, puis elle a quitté l'hôtel. Et la ville. Ce qu'il faudrait de temps, de force et de travail pour tout suturer, que parte la souffrance, survivre et retrouver un air à peu près normal. Véro rentrerait au Québec deux ans plus tard comme si de rien n'était.

TOUT AVAIT COMMENCÉ AU PERRETTE

Avant que Véro ne vienne te voir à Paris, il y avait longtemps que vous aviez dormi ensemble. Petites, vous avez tôt eu vos chambres séparées. Mais la nuit, tu allais la retrouver. Quand tu dormais mal, un cauchemar, que tu avais une peur soudaine ou un chagrin, tu détestais dormir seule. Jeune, elle s'en plaignait. Elle te poussait hors du lit en tirant la couverture sur elle. Puis l'habitude s'est installée jusqu'à ce que ce soit elle qui vienne, un matin, te rejoindre. Ses cheveux longs sentaient le tabac froid et ta sœur a répété qu'elle ne boirait plus jamais.

L'été où elle est partie, tu as souffert. Les parents s'inquiétaient. Où était-elle ? Quand reviendrait-elle ? Vous aviez attendu que Véro appelle jusqu'à ce qu'arrive en août cette photographie d'elle au visage flou. Les paysages, la robe et la yourte, vous aviez compris qu'elle ne séjournait pas en Europe, mais au pays de Gengis Khan.

C'était l'été où tu traînais avec Jean-Phi à siroter des *slush* dans le stationnement du Perrette. Début juillet, tu avais remarqué un garçon qui *skatait*. Il était maladroit, mais il essayait. Cela t'émouvait. Tu l'observais attentivement quand il a trébuché. Ses lunettes sont tombées. Tu l'as aimé pour sa maladresse. Les jours qui suivraient, tu es retournée au dépanneur. À la mi-juillet, il a remarqué que tu existais. Tu l'as suivi derrière les *containers*. Il a posé ses yeux myopes sur toi, tu as tendu ton visage vers le sien et il t'a embrassée. Après avoir tourné sa langue comme une manivelle dans ta bouche, il t'a serrée très fort. C'était ton premier baiser. Tu avais quinze ans, presque seize.

C'était aussi la première fois qu'un garçon s'intéressait à toi. En fait d'intérêt, il aimait surtout la bande dessinée. Les jours qui suivraient, tu les passerais assise sur son lit, à l'écouter parler de superhéros. Il te montrait des pages et des planches d'obscurs bédéistes et, toi, tu attendais qu'il te dise qu'il t'aimait. Comme il le faisait avec les dessins des autres, tu aurais aimé qu'il te détaille, qu'il t'explique ce pourquoi tu étais belle. Mais il ne pensait qu'à son monde et qu'à lui. Il avait dix sept ans.

Après quelques semaines, il tarderait à te rappeler. Lorsque tu téléphonais, sa mère le disait toujours sorti. Pourtant, tu entendais la trame sonore d'*Akira* en bruit de fond. Tu finirais par comprendre qu'il t'avait laissée. Un soir où tu aurais tant voulu ne pas dormir seule, où tu aurais voulu le garçon près de toi,

Jean-Phi est venu te retrouver. Tu n'as rien dit, mais il a compris à ton manque d'allant que ta romance était terminée.

— Attends que Véro revienne, elle va lui péter les dents.

Tu as ri un peu et vous avez déplié le divan-lit au milieu du salon. La dernière fois que tu l'avais ouvert, c'était pour le garçon. Tes parents endormis, ta sœur partie, personne n'avait entendu grincer les ressorts du matelas. Au matin, tu avais fait plusieurs lessives. Ta mère ne remarquerait la tache sur le drap que plusieurs mois après.

Avant de vous endormir, tu confierais ton pressentiment à Jean-Phi.

Deux semaines plus tard, l'école recommençait. Tu n'as pas cherché le garçon dans le stationnement du Perrette. Quand tu as fait le test, c'est à Jean-Phi que tu as demandé de téléphoner à la clinique. Toi, tu ne pouvais pas. Le rendez-vous pris, il s'est tourné vers toi.

— Écoute, Béa... Une fois, c'est correct. Je juge pas. Mais j'espère que ça arrivera pas chaque fois que tu vas tomber en amour.

Il n'y aurait pas d'autres fois. Les garçons, c'était fini. Jean-Phi a secoué la tête. Tu as hésité avant de lui demander une dernière chose. Il y avait tant de peur dans tes yeux qu'il s'était adouci.

— Voyons. Voir si je raconterais ça à Véro...

MISTRAL GAGNANT

C’est à Paris qu’est monté en toi un désir d’enfant. Cela te prenait au ventre quand des bambins de deux ou trois ans jouaient au square. Une bouffée d’envie quand tu voyais un jeune papa parler à sa fillette en attendant que le feu passe au vert. Au café, tu observais les petits Parisiens jouer en compagnie de leurs parents. Ils se tenaient très sages à dessiner pendant que papa feuilletait *Libération*. Parfois, ils s’arrêtaient pour raconter leurs soucis. Leur maturité avait quelque chose d’émouvant et de comique. À Paris, on aurait dit que les enfants étaient plus adultes que leurs parents.

Chaque fois que tu voyais dans les vitrines des boutiques pour enfant un jouet à l’humour dessiné, un foulard étoilé, un sac d’école en cuir, une robe à pois, tu poussais la porte. Tu ressortais toujours avec un petit rien. C’est ainsi que tu as rangé dans le coffre de ton appartement un jeu de mémoire pastel, une barrette sertie de maisons en plastique et un singe aux membres trop longs.

Au début, tu ignorais pourquoi tu gardais tant de cadeaux pour enfant. Les bébés tardaient à naître autour de toi. Ta sœur étant célibataire, tu devrais attendre quelques années avant d'être *ma tante Béa*. Jeff et Maité ne parlaient pas encore de faire des enfants. Le trésor grossissant, la pensée t'a effleurée que tu garderais tout, que tu cumulais toutes ces choses pour l'enfant que tu aurais, toi.

Tu n'avais pas prévu cela. Pas pensé que tu rentrerais de France avec l'envie de t'installer. Tu étais venue à Paris pour *partir*. Tu voulais voyager, bien sûr, connaître l'exotisme des pays étrangers. Être désorientée, te déprendre de toi-même et, ailleurs, t'oublier. En quittant Montréal, c'était ton passé, ta famille et ta sœur que tu avais laissés derrière toi. Tu étais partie avec l'espoir d'apprendre à vivre seule.

À vingt-sept ans, tu étais toujours un peu cadette. Votre père t'aimait mignonne. Votre mère, jeune fille modèle. Ta sœur t'aimait fragile pour te protéger. Affranchie du regard de ta famille, tu étais venue à Paris voler ta liberté, toi qui n'étais pas partie, sac au dos, à vingt ans par la faute de Véro et la peine causée par son absence prolongée.

Tu étais partie pour partir, évidemment, dans une grande quête de maturité. Mais Paris te renvoyait à ton enfance, ton manteau de laine jaune façon *Martine et les quatre saisons*, les imprimés Liberty et le coton pareil à celui dont vous habillait votre mère. Et quand, un jour, tu entendrais jouer cette berceuse de Renaud que ton père chantait en te donnant le bain, les larmes te viendraient aux yeux : tu avais oublié.

C'était comme s'il t'avait fallu quitter ton enfance pour la retrouver en France et que tu voulais la quitter encore dans la maternité. Comme s'il t'avait fallu quitter Christophe pour penser qu'il te plairait d'être maman et vouloir, au final, la même chose que lui : une maison, deux étages et trois chambres à coucher.

Tu ne t'étais pas demandé ce que tu répondrais à Julien s'il voulait faire de toi la mère de ses enfants. Mais au troisième jour, mardi, ta sœur est tombée sur le contenu de ton coffre d'espérance. Cherchant le détergent à lessive, elle a trouvé les vêtements, les toutous, les jouets, les bijoux, les accessoires de literie que tu collectionnais. Manifestement, s'est-elle dit, tu attendais un bébé.

C’ÉTAIT ENCORE L’AUTOMNE

Elle buvait son thé sous la fenêtre quand tu es rentrée. Tu n’en pouvais plus. Tu as essayé de t’expliquer. C’était confus. Tu racontais l’histoire d’Ansel et Gretel. Abandonnés dans la forêt, les jumeaux sont adoptés par une sorcière qui veut manger Ansel. L’histoire se termine quand Gretel, la fillette, pousse l’ogresse dans le fourneau où devait rôtir son frère. Mais les élèves ne t’écoutaient pas, trop excités par le cannibalisme de la sorcière. Véro ne comprenait pas ce qui était arrivé. Tu t’es mise à pleurer.

La classe était dissipée, il y avait du chahut, mais tu gérais jusqu’à ce que Julien ouvre la porte. Les enfants criant de joie, Julien a salué et tu as perdu le contrôle. Par sa présence, Julien avait saboté ce moment privilégié qu’est l’heure du conte. Tu avais dû remettre à sa place un élève qui faisait de grands moulinets pour attirer son attention. Sans t’écouter lire la fin, il criait que la sorcière allait dévorer Ansel. Que Gretel resterait toute seule, sans son frère. Tu étais tellement fâchée quand tu lui as dit de se taire que le petit a fondu en larmes. D'autres enfants l'ont imité. Julien t'a demandé de venir avec lui.

— Quelque chose ne va pas ?

Sans répondre, tu es partie aux toilettes. Tu as pleuré, tu étais fatiguée. Tu voulais dormir, juste dormir. Quand tu es revenue, Julien n'était plus là. Et ta classe avait peur. Tu les as fait travailler sans même un mot sur ce qui s'était produit. À la fin de la journée, tu n'es pas passée par son bureau. Tu es rentrée à pied en te répétant que tu étais dans ton droit.

Ta sœur attendait que tu reprennes ton souffle. Quand tu as cessé de pleurer, doucement, elle t'a demandé il y avait combien de temps que tu avais été menstruée. Tu ne savais pas. Un petit bout. Deux semaines ? Plus que cela. Trois semaines ? Tu pleurais en disant que tu étais fatiguée. Ta sœur a insisté, concentre-toi. C'était avant Julien ? Oui. Cela faisait combien de temps que tu étais avec lui ? Tu n'avais pas compté. C'était l'automne déjà. Ta sœur s'est levée.

— Tu t'en vas ?

— Je vais nous chercher des gâteries. Ça va nous faire du bien.

Véro sortie, tu t'es assise sur le plancher. Puis tu t'es allongée sur le dos. Le téléphone a sonné. Tu n'as pas répondu. Tu voulais dormir. Dans une grande lassitude, tu gardais les yeux fermés pendant que Julien te laissait un message.

— T'es pas là, on dirait. Enfin, tu réponds pas. Mais comment tu fais pour pas répondre ? Bon... Écoute, je passais, je me suis arrêté. Je suis en bas. T'es là ou pas ? Je te rappelle dans cinq minutes. Allez, bisous.

On entendait la voix de Véro monter. Elle a ouvert la porte, c'est moi, puis elle s'est tournée vers Julien qui suivait derrière. Elle l'avait croisé en bas, a-t-elle expliqué sur un ton guilleret. Resterait-il à souper ? Julien a décliné l'invitation de ta sœur. Heureusement. Leur familiarité t'énervait, cette proximité qu'ils feignaient alors qu'ils se connaissaient de la veille. À croire qu'ils seraient mieux sans toi.

— Vous ne trouvez pas qu'on se pile sur les pieds, là ? On ne peut pas être trois dans cet appartement. Julien, tu peux nous laisser maintenant ?

Il y a eu un silence.

— Mais où elle est, ma petite Béatrice ?

Tu t'es tue. Puis tu as lancé que, au fait, Christophe était à Paris.

— Qui ?

Derrière, Véro battait l'air en faisant signe que non, mais tu avais envie que les choses soient claires, qu'il sache et qu'il souffre. Tu voulais l'atteindre quand tu lui as dit que tu avais aimé Christophe avant lui, que tu l'avais aimé plus que lui, et que tu l'aimerais toute ta vie. Julien pouvait te tromper, baiser tout ce qui bouge, trois filles par jour ou cent, tu t'en foutais, puisque tu ne l'aimais pas.

Julien a renoué son écharpe. Il a embrassé Véro en lui souhaitant bonne nuit. Puis il est parti en disant que chacun avait ses secrets, mais qu'il aurait préféré que tu l'aimes assez pour ne pas lui révéler les tiens.

Quand ses pas ont cessé de résonner, ta sœur t'a dit que tu venais de faire une grosse bêtise. De la poche de son manteau, elle a sorti le petit sac d'une pharmacie. À l'intérieur, il y avait une boîte rose et blanc qu'elle agitait. Tu as soupiré qu'elle exagérait. Elle t'a poussée vers la salle de bains.

— Tu vois le mal partout.

C'était son métier. Aménorrhée, fatigue, perte de poids, irritabilité, tu étais un beau cas.

— À ta place, je réfléchirais aux excuses que tu vas donner à Julien. Parce que tu as une bonne nouvelle à lui annoncer.

— Tu hallucines.

— Je pense pas, moi.

Tu ne voulais pas sortir. Il y avait un problème.

Le téléphone sonnait. Tu n'as pas répondu. Tu étais enceinte de Julien.

DU POISSON GRILLÉ

De la cuisine, sa mère a regardé le taxi s'introduire dans l'allée. Elle portait une grande veste qu'elle ramenait sur sa poitrine comme des ailes. Tu l'aurais cru aimante, si calme derrière la fenêtre. Pourtant Murielle tenait son fils coupable de ses malheurs. Par sa faute, son amant l'avait quittée. Puis son mari. Si elle ne voyait plus sa fille, si la famille avait été détruite, c'était toujours Christophe qui était à blâmer. Personne ne savait qui, de l'amant ou du mari, était son père, mais Christophe était sûr d'une chose : sa mère était sa mère. Toute sa vie, elle le lui avait fait payer.

Quand il était arrivé à Charles-de-Gaulle, Christophe avait résolu de prendre un taxi. Sur la banquette, il avait répondu sans ciller aux questions du chauffeur. Lui que tu connaissais si secret, tu aurais été étonnée de l'entendre déballer sa vie à un inconnu. Chez le coiffeur, dans l'avion, à l'étranger, Christophe profitait de ces rencontres impromptues pour se confier, imitant cette façon qu'avaient les Nord-Américains de se prêter aux cœur à cœur en toute circonstance. À toi, il n'a jamais dit s'appeler Keller depuis qu'il avait choisi de rester avec sa mère, trop coupable pour l'abandonner. Si tu lui avais posé la question de son nom, Christophe l'aurait esquivée dans un silence poli. Mais au chauffeur de taxi, il balancerait tout : son père anglais, sa mère alsacienne, leur divorce, et le nom qu'il avait pris.

Comme il passait la porte, Murielle Keller a dit qu'elle avait cuisiné du poisson grillé. Elle saluerait son fils en soulignant qu'il avait grossi. Derrière son fard à joues, sa mère, tout à coup, lui faisait pitié. Après avoir retiré ses souliers, Christophe est parti se laver les mains, puis il s'est assis sur le rebord de la baignoire pour consulter son téléphone. À « Béatrice Chevreau », il avait ajouté le 06 que tu lui avais donné. Il a appelé, attendu. À la quatrième sonnerie, il a relevé la tête. Dans le miroir, il a vu le visage de ses neuf ans. Il a chassé l'image avant de raccrocher. Tu n'as pas répondu.

MESSAGE PERSONNEL

Quand tu prendrais tes messages, tu entendrais sa voix, sa vraie, qui te saluait. Il a dit ton prénom et tu aurais voulu pleurer. Tu te rendais compte que tu avais perdu sa voix en le perdant. Il te parlait comme si c'était la veille, mais on sentait une crainte. Il souhaitait te revoir – si tu le voulais aussi.

Cela faisait quatorze mois que vous ne vous étiez pas vus. Quatorze mois à savoir que tu le reverrais sans savoir ce qu'il devenait. Puisque tu ne pouvais pas savoir la vérité, tu l'avais inventée. Tu t'étais raconté tant d'histoires que tu croirais le connaître plus que lui-même. Tu l'avais aimé *à la folie*. À voir des signes d'amour quand il n'y avait rien. Tu avais tellement attendu que tu ne l'attendais plus, maintenant qu'il te proposait de vous retrouver à la place Stalingrad le lendemain, si ça marchait pour toi. Il attendrait ton appel et te faisait la bise avant de raccrocher.

En écoutant le message de Christophe, tu étais loin, très loin dans le temps et ta tête. Assise sur un banc dans la cour carrée de l'hôpital Saint-Louis, tu regardais les allées et venues du personnel hospitalier et les étudiants dessiner les mêmes trajectoires depuis cinq cents ans. Ta sœur avait voulu te suivre, mais tu l'avais convaincue de te laisser partir. C'était le seul endroit où tu pouvais t'oublier. Le seul endroit où tu pouvais constater, comme une chose qui serait arrivée à quelqu'un d'autre, que tu l'avais aimé au plus près sans rien savoir de lui. Ni l'histoire de sa vie ni celle de ses anciennes amours. Tu ne connaissais de lui que le temps passé ensemble. Votre histoire terminée, quelque chose était demeuré sans réponse, irrésolu. Et c'est dans son silence que tu t'étais abîmée.

Il faut dire que le silence des garçons était une malédiction que tu traînais depuis tes premiers émois. Petite, tu t'inventais chaque année une histoire d'amour avec un camarade de classe. Pendant les vacances d'été, tu lui envoyais une lettre sur du papier aqua. Derrière tes *b* bombés, on devinait un dauphin lilas. Dans l'enveloppe, le garçon, étonné, trouvait un carton sur lequel tu avais inscrit « oui ou non ? » Aucun n'avait daigné te répondre. Tu t'étais résignée. Personne ne ferait la ronde autour de toi en chantant ton prénom. Au secondaire, tu avais détourné ta production épistolaire vers Jean-Phi, qui tirait la languette de tes papiers pliés dans ses cours de français. S'il te répondait toujours de sa belle écriture, tu n'avais jamais osé lui poser la question par peur qu'il te réponde non.

Mille fois tu avais imaginé le jour où tu reverrais Christophe. Tu ne lui en voudrais plus. Toute à ta joie, tu le regarderais pencher son menton comme il te raconterait sa sœur en visite avec les petits et hausser les épaules quand tu l'interrogerais sur le travail. Et tu aurais l'impression, le sentiment clair, tu serais même étonnée : ce serait exactement comme avant.

Tu l'as rappelé pour confirmer le rendez-vous. Puis tu as choisi le numéro de Julien. Pendant que ça sonnait, tu as pensé que tout n'était pas encore joué.

ET N'ONT QU'UN CŒUR POUR DEUX

Il était chez lui. Au téléphone, monosyllabe traînant, il avait perdu sa superbe. Tu l'imaginais affalé comme un bonhomme de neige fondu. Non, tu ne le réveillais pas. Il ne dormait pas parce que la voisine venait de découvrir une nouvelle chanteuse québécoise. Du coup, bien sûr, il pensait à toi. Julien avait la voix loin de tout sentiment. Il te parlait comme avant, mais le cœur n'y était pas.

— Mais qu'est-ce qu'elles ont, les Québécoises ? Qu'elles chantent, d'accord, mais c'est pas une raison pour nous emmerder. On vous a rien fait, nous. On vous aime, nous.

Le soir, quand il t'a ouvert la porte, cheveux ébouriffés, une couette sur les épaules, Julien t'a fait signe d'entrer. Comme toujours, il te touchait par sa superbe fatiguée.

Tu as plié ton manteau sur une chaise pendant qu'il refermait dernière toi. Tu t'es retournée et il t'a ouvert ses bras. Son étreinte était dure. Tu sentais ses muscles trembler. Vous êtes restés ainsi tendus jusqu'à ce qu'il se défasse de toi.

Tu lui as demandé pardon. La veille, tu avais débordé. Il a pris un ton d'évidence pour te dire qu'il ne s'était rien passé. Du reste, c'était normal. Les jours n'étaient pas tous des chansons. Tu as insisté pour dire que tu t'en voulais. Tu avais été excessive, tu le savais, tu t'étais emportée. Alors même que tu t'excusais, c'est au visage de Christophe que tu as pensé.

— Oh, mais tu as le droit d'être méchante, tu sais. Si c'est pour être plus gentille après.

Debout, il attendait que tu te glisses dans le lit pour tendre la couverture sur toi. Jambes repliées, tu grelottais quand il s'est calé contre tes reins. Et tu l'as senti expirer dans ton cou avant de t'endormir, son ventre contre ton dos. Christophe n'était plus là.

Souvent tu te prenais à rêver que passent les années pour voir Julien marcher à tes côtés. Vous seriez si vieux que les parents donneraient vos prénoms aux enfants. Vous auriez le même visage et les joues plissés. Au parc, Julien te tiendrait la main comme à Paris seuls les vieux faisaient. Vous marcheriez à petits pas – lui, plus grand et toi, voûtée. Vous porteriez chacun un imper défraîchi. Cela ferait des années que vous vous aimeriez comme les autres en rêvaient et ce serait comme si vous vous étiez aimés toute la vie. Alors seulement tu saurais qu'il t'aimait *pour de vrai*.

Au matin, tu ne savais plus. Dans l'odeur des draps qui n'avaient pas été lavés depuis quelques semaines et la douceur qu'ils avaient d'être usés, tu as redressé la tête, le pli de l'oreiller sur ton œil et ta joue. Tu peinais à te rappeler ce qui t'avait menée jusqu'au lit de Julien quand tu aurais dû dormir dans le tien, ta sœur à tes côtés. La veille t'est revenue par à-coups. Tu t'es laissée retomber, la main sur le ventre. Le réveil ne tarderait pas à sonner. Tu avais encore le temps de te sauver. Christophe t'attendait. À neuf heures moins le quart, tu as dit tout bas.

— Julien, je suis enceinte.

Comme il respirait lentement, tu t'es levée, croyant qu'il ne t'avait pas entendue. Pendant que tu t'habillais, il a esquissé un sourire incertain en se redressant sur son coude. Quand tu as refermé la porte, il s'est éclairci la gorge pour te lancer :

— Et on l'appellera Juliette !

ATMOSPHÈRE

Mercredi, tu es arrivée en retard à la place Stalingrad. Tu as traversé l'avenue Jaurès en cherchant Christophe dans la crainte qu'il soit parti. Sur le trottoir, tu as jeté un coup d'œil au quai avant de courir vers la Rotonde. Sur la place, tu as tourné sur toi-même : un itinérant et deux garçons zonaient. Tu t'es penchée sur ton sac pour y chercher ton téléphone quand il a sonné. Tu as répondu et tu l'as vu, de l'autre côté, le manteau déboutonné, éteindre son portable avant de t'envoyer la main. Il avait la même dégaine, cette façon assurée de s'avancer, mais une tête pensive. On aurait dit que son pas était plus cadencé que ses idées. Christophe s'approchait, il n'avait pas changé, sauf peut-être son visage, un peu plus vieux, un peu plus grave. Il portait les cheveux plus courts, aussi, mais il avait gardé son sourire ironique, un peu triste. Il était tout près, tu t'es avancée et il t'a tendu les bras :

— Béatrice ! Comment tu vas ?

Tu as replacé son foulard comme on faisait chez toi pour les gens qu'on aimait. Tu ne voulais pas que la neige tombe dans le creux de son cou. Il te regardait faire en pensant que cela faisait longtemps. Et que tu avais embelli. Tu semblais fatiguée, tu avais maigri, mais ton visage avait un éclat que Christophe ne t'avait jamais vu. Pour ne pas s'épancher, il a flatté ton bras. Un geste d'amitié. Puis il a compris que c'était le froid qui colorait tes joues. Que c'était l'hiver qu'il n'avait pas passé avec toi qui donnait à ton visage sa lumière. Il a fait mine de se rappeler et il a tiré la chapka que tu lui avais donnée de la grande poche de son manteau.

— T'as vu ça ?

— Elle te plaît ?

Christophe a posé la chapka sur sa tête.

— C'était une blague ou pas ?

— Je me suis dit que c'était pour toi quand je l'ai vue.

Il était exactement tel que tu l'avais imaginé. Sous la fourrure, ses traits s'adoucissaient pour lui donner l'air d'un gentleman à la conquête du cercle polaire. Et l'hiver à Montréal, cette sorte d'après-ski perpétuel que tu n'avais pas connu avec lui, tout à coup, te manquait. Tu as proposé de marcher le long des glaces, mais si cela ne te dérangeait pas, il préférait aller au café.

Vous avanciez à petits pas comme à Montréal quand les trottoirs sont glacés. Sous la neige qui tombait en poussière, tu pensais que c'était le même bonheur. Tu n'avais rien inventé. La gorge serrée, tu l'aimais toujours.

Tu ne lui as pas dit que tu l'avais attendu avec le désespoir des noyés. Que tu t'étais abandonnée, oubliée, jusqu'à perdre le sentiment de réalité quand il s'était retiré de ta vie. Qu'un jour de février, tu avais entendu qu'il ne t'aimait plus. Que tu l'avais compris comme une gifle. Que tu t'étais affalée en pleurant. Qu'après lui, tu n'avais eu confiance en personne, pas même en toi. Tu ne lui avouerais pas que tu avais voulu mourir et que tu avais carrément essayé. Tu n'as rien dit, tu t'es simplement arrêtée devant la bannière de l'Atmosphère. Christophe a reconnu le café dont il t'avait parlé.

Il a pris place près de la fenêtre, les mains appuyées aux extrémités de la table. Il portait l'un de ses innombrables vestons de velours côtelé. Tu l'as complimenté et tu as commandé un crème.

— Et pour toi ?

— Je prendrais bien une noisette.

La serveuse partie, tu ferais du charme en étirant les syllabes. Tu faisais comme si tu ne l'avais pas attendu un an. Tu faisais semblant et tu le faisais si bien que, lorsque tu t'arrêterais pour l'écouter, Christophe t'annoncerait tout bonnement qu'il se mariait.

Tu étais si gaie que tu aurais éclaté en sanglots. Avec ta voix des grands jours, tu l'as grondé de ne pas t'avoir invitée au mariage quand il t'a brusquement dit qu'il annulerait tout si tu changeais d'avis.

Le souffle t'a manqué, encore une fois. Tu n'as pas su répondre. Son cou s'est plaqué de rouge, soudain. Il s'est avancé au-dessus de la table. Tu as ressenti une sorte de vertige.

— Quoi, tu as décidé de rester à Paris ? Tu as rencontré quelqu'un ?

En replaçant tes jambes sous la table, tu as opiné. Il a gardé la bouche ouverte quelques secondes avant de concéder qu'il s'en doutait. Il s'est reculé dans sa chaise pour se croiser les jambes. Avec une voix qu'il voulait égale, il a dit :

— Ça fait longtemps ?

— Deux mois, peut-être trois.

— Il est sérieux ?

— Comment dire... Sérieux, non. On ne peut pas dire qu'il soit sérieux. Mais il est là, lui.

Christophe a fait un geste de la main que tu n'as pas pu interpréter. Puis, sans te regarder, il t'a demandé si tu le quitterais, lui aussi. Si tu laissais tous les hommes qui t'aimaient.

— Parce qu'il t'aime, n'est-ce pas ?

De ce qu'il disait, tu ne comprenais que la rancœur. C'était lui, dirais-tu d'une voix blanche, atone, lui qui ne t'avais jamais rappelée.

— Je t'ai proposé d'emménager et tu m'as répondu que tu partais à Paris. J'ai trouvé que c'était une réponse plutôt claire.

— Ça n’empêchait rien. Tu aurais pu me rappeler.

— Mais pour dire quoi ?

— Je t’ai rappelé, moi.

Christophe respirait trop fort. En passant la main sur son visage, il s’est détourné. Par la fenêtre, le canal Saint-Martin était désolé.

— Alors tu reviens à Montréal ou pas ?

— Mais oui, je reviens en juillet.

— Et nous ?

Ce mot, ce *nous*, a été de trop. Tu as senti ton cœur se gonfler violemment. Tu t’es levée d’un bond en portant la main à ta bouche. Puis, le cœur sur les lèvres, tu t’es excusée. En te cognant contre les tables et les chaises, tu as couru vers les toilettes dont tu as ouvert la porte avant de vomir sur le plancher. Derrière toi, Christophe te demandait si tu avais besoin de quelque chose. Tu as secoué la tête sans parler. Il a insisté, voulais-tu un verre d’eau ? Tu t’es relevée et tu lui as assuré que tout allait bien. Christophe a vite réglé et vous êtes sortis. Dehors, tu respirais mieux, mais la fumée d’échappement, l’air froid et l’odeur d’essence qui émanait du garage voisin t’ont fait vomir une autre fois.

— Béatrice, ça va ? Qu’est-ce qui se passe ?

— C’est rien, c’est... mes nausées.

Tu ne te sentais pas la force de continuer. Tu as dit qu’il fallait que tu partes. Christophe a voulu te suivre, mais tu as refusé et tu t’es mise à marcher. « Béatrice », il répétait ton prénom, « Béatrice ! » comme pour te commander d'arrêter. Tu avançais, un pied devant l'autre, Christophe t'a rattrapée et t'a saisie par le bras. Tu t'es retournée vers lui, pleurant déjà. Il t'a prise par les épaules. Tu sanglotais en pensant que c'était maintenant fini.

IV

HIVER

Le plus se tresse ma chanson, le plus je pense
Que ce qui meurt a plus de poids et d'importance
J'amoure la vie, ma mie, à ma façon
J'aime l'amour, j'aime le printemps
Tout comme je voudrais ce soir que ma chanson
S'achève et meure tout doucement

JEAN-PIERRE FERLAND

SOUS LA DOUCHE TÉLÉPHONE

Tu étais accroupie à tenir le creux de ton ventre sous la douche téléphone. Curieusement, tu n'avais jamais été aussi maigre. Ta peau plissait, rouge, mais tu t'obstinais à rester sous le jet brûlant. Tu tentais d'oublier la longueur de la journée. Tu savais que cette nuit tu revivrais tout en rêve. Et que jamais tu n'en finirais de te raconter ce qui s'était passé. C'était l'un de ces jours où tout semble arriver. Tout, exactement tout ce que tu avais espéré, attendu, redouté. On aurait dit que tu avais vécu ta vie et que tu l'avais perdue le temps d'une journée.

Tu as séché la peau de ton ventre plat avant de relever la tête dans la glace embuée. Tu pensais au givre, à l'hiver et aux flocons découpés que vous colliez aux fenêtres. En classe, c'était ta période préférée. Décembre, vous faisiez des bricolages de choux et de feuilles d'argent. Dans la vitre gelée, quelques enfants aimaient tracer de leur pouce le logo du Canadien. Vous habilliez un sapin de boules faites main à l'arrière de la classe. Et les élèves, excités, attendaient l'échange de cadeaux qui conclurait l'avent. Tu les entendais chuchoter, rire et tenter de découvrir l'identité de celui qui les avait pigés.

Ce qui ferait ta vie, tu le voyais déjà. Une boule de chaleur, sa bouche suçotant ton doigt. Bambin, il y aurait les matins fébriles. Tu porterais une queue de cheval trop courte quand tu irais le chercher à son cours de natation. À son anniversaire, vous feriez une fête avec des pommes dans l'eau. Toutes les chansons que tu savais, tu les lui chanterais en le prenant dans tes bras, même quand il te repousserait. Pour lui, tu ferais des rôties et des gâteaux que tu couperais en portions inégales. Et quand ce serait la maladie, tu éprouverais un malheur plus grand que toi en même temps que la douceur de savoir qu'il était toute ta vie.

En sortant de la salle de bains, tu ne pensais plus à Christophe. Tu ne pensais pas même à Julien. Désormais, tu ne vivrais que pour lui, tu ne craignais que de le perdre *lui,* dont le cœur battait avec le tien.

PAS DE SOUCI

Julien était né dans un monde où les marraines veillaient, penchées sur son berceau. Conscient de sa classe, il n'en disait rien, mais il croyait que tu venais, toi aussi, d'une lignée de notables. Autrement, il ne s'expliquait pas ce qu'il appelait *ta fraîcheur*. Malgré toi, tu l'avais touché. Un tel évènement ne s'était produit que rarement dans sa vie. À vingt-cinq ans, il t'aurait fuie. Mais parce qu'il avait la trentaine, c'était toi qu'il voulait et c'était toi qu'il aurait.

Avec Camille, celle que tu « remplaçais » à l'école, cela avait été autre chose. Il faut dire que, plus décidée que toi, c'était elle qui lui avait fait des avances. Ils avaient bien eu un flirt au travail, comme toi, des œillades et le jeu du chat et de la souris. Pour lui, Camille avait cultivé cette allure *héroïne chic* des mannequins londoniennes, avec ses pulls lui découvrant les épaules et une longue chaîne d'argent qui louvoyait sur la courbe de ses seins. Elle pensait se l'attacher, mais Julien vivrait toujours dans l'instant des sauteries d'après-midi et des week-ends passés chacun de son côté. Le sexe avait quelque chose de canaille, mais ils seraient tous deux insatisfaits. Julien, disait Camille, n'était pas *réactif*. Camille, disait Julien, était quand même *un peu chiante*. Lorsqu'elle apprendrait qu'il fréquentait toujours d'autres filles, elle avait pris pour amant un banquier connu par l'entremise d'un site de rencontres. Camille cherchant l'avenir et Julien, la jouissance, ils s'étaient quittés quelques semaines avant ton arrivée à Paris.

À L'Atmosphère, il t'avait trouvé quelque chose de farouche et de désemparé. Il s'était adressé à toi. Tu avais la tête *ailleurs*, tu répondais là où il ne t'attendait pas. Julien t'aimait de ne pas savoir sur quel pied danser. Dès lors, il n'aurait de repos que le jour où il t'aurait conquise. À l'école, il avait chassé toute rivalité. Pour toi, il avait abandonné les femmes prévisibles. En contrepartie, il exigeait l'impossible : le charme des filles inaccessibles et la servilité.

Des enfants, il en voulait. Mais Julien serait un père différent du sien : flamboyant, drôle et, il faut bien le dire, égocentrique. Du moment où tu attendais son enfant, il tenait la certitude que tu lui appartenais. Depuis la veille, il voyait sa vie future avec toi. De ton côté, la vie future, c'était ton bébé.

Comme à son habitude, ce matin-là, Julien est venu te chercher. Tu prenais ton courrier quand il est entré dans la cour. Il s'est approché de toi. Entre les pans de ton manteau ouvert, il a passé la main sur ton pull. Il cherchait ton bide, il cherchait celle qu'il appelait déjà *la petite Juliette*. C'était encore trop tôt, as-tu répondu. Puis tu as reculé d'un pas. Hésitant sur les mots, tu as ouvert la bouche pour parler de la veille, Christophe, tout expliquer. Julien a dit : « Chut. Pas de souci. Non vraiment, pas besoin. » C'était du passé, a-t-il répété en faisant un pas vers toi.

Il s'est penché et t'a embrassée sur la bouche, deux secondes de miel. Puis il t'a enserrée dans ses bras pour te soulever. Il avait gagné et c'est comme si tout Paris savait que tu étais à lui.

VAGUE DE FROID

Avant de partir, ta sœur t'a ramené un petit conifère. Pas question que tu passes les fêtes sans sapin de Noël. Au sous-sol du Bazar de l'Hôtel de Ville, elle avait dégoté une scie, un pied, un arrosoir et des guirlandes. Quand tu es rentrée, le soir, la lumière était douce dans ton appartement.

Comme il faisait froid, vous laissiez vos manteaux sur ta couette pour vous réchauffer, la nuit. Cela vous rappelait la pile de vêtements d'hiver que tes oncles abandonnaient dans la chambre de vos parents à Noël. À Paris, la lumière n'était pas bleue quand c'était chien et loup. On ne secouait pas les bottes à l'entrée pour en faire tomber la neige. Mais tu gardais le pas allègre sous les flocons si petits que c'était seulement un peu de blanc, un peu de gris, du sucre en poudre qui tombait sur la ville.

Sauf que, vendredi, une vague de froid a frappé la ville. À Paris, la neige tombait en bordée. Le métro était gelé et les rails, impraticables. Samedi, ta sœur devait partir. Dans le taxi, la radio parlait de « sinistrés ». À Orly, des voyageurs campaient autour de leurs valises. Les employées d'Air France vaquaient en mini-jupe, un carré de soie noué sur le côté, jusque sur le tarmac. Vous étiez au bar, et Véro, goguenarde, dirait :

— Vive la France, hein ?

Elle buvait nonchalamment un verre de Stella. La lumière qui entrait par les vitres te cachait les traits de son visage. Une pensée la taraudait. Elle prendrait une autre gorgée avant de se pencher sur toi.

— Béa, dis-moi que tu veux pas avorter ?

Embarrassée, tu as bredouillé que non. Tu t'es arrêtée de parler, pensive, puis tu as affirmé qu'elle pouvait annoncer à Jean-Phi qu'il serait *mon oncle* à l'été.

L'année commencée, tu redevenais mondaine. Vous étiez invités à dîner et tu parlais, guillerette, de tes élèves, mignons comme tout. Enceinte, tu étais d'humeur si charmante que tes hôtes te pardonnaient ta hâte à manger et le couteau que tu tenais dans ta main droite. Tu devais avouer que tu te plaisais à Paris même si Montréal te manquait, et la bonne foi des gens.

Tes parents te pressaient de revenir. Avec sa voix d'extase, ta mère parlait du *petit Français* dont il fallait s'occuper. À l'école, on ne savait que faire, le règlement de l'entente n'avait pas prévu qu'une grossesse survienne en cours d'année. À mesure que tu grossissais, tu imaginais le bébé qui roulait dans ton ventre en pensant à la vie qui vous attendait.

Et, dans l'oubli du reste, tu n'avais toujours rien dit à Jean-Phi. Quand il a appris de Véro que tu attendais un bébé, il s'est étonné que tu ne lui aies pas même écrit pour lui annoncer la nouvelle. Il croyait être ton meilleur ami. Lui qui avait toujours été là pour toi, qui t'avait écoutée ressasser le souvenir de tes amours déçues et tenue la main à la clinique, lui qui t'avait gardée dans ses bras quand Christophe était parti, tu n'avais pas daigné lui confier que tu serais maman. *Maman,* bordel. Mais comme elle ne voulait plus se mêler de ce qui ne la regardait pas, Véro ne t'a rien dit. Elle t'a simplement suggéré de l'appeler.

— Ça lui ferait plaisir, je pense.

C'était un euphémisme pour dire que tu l'avais blessé. Adossée contre la paroi de la cabine, tu as composé son numéro. Quand il a répondu, tu as senti monter une bouffée de nostalgie pour le temps où, cognant à votre porte, il venait vous demander si vous vouliez jouer. En regardant devant toi le Canal, tu as pris de ses nouvelles. Il n'avait pas grand-chose à te dire. « Mais toi, a-t-il rétorqué, tu n'as pas une grande nouvelle à m'annoncer ? » Sur ton nuage, tu as ri. C'était incroyable, non ? Plus circonspect, Jean-Phi t'a questionnée sur le futur papa : son âge, ses manières au lit, ses anciennes copines, sa lignée parentale et votre histoire par le détail. Depuis quand ? Et le bébé, c'était un accident ? Et Christophe, tu l'avais revu ? Tu t'es fâchée.

— On dirait que t'es pas content pour moi !

Au téléphone, Jean-Phi craignait que tu t'illusionnes encore. Tu t'étais trop souvent trompée sur le compte d'un homme pour qu'il n'exige pas de connaître le pedigree de celui qui serait le père de ton enfant. On le voulait d'une fiabilité irréprochable. Le problème étant que ta sœur et toi l'aviez présenté comme un beau parleur.

— Et si Julien te quittait, tu ferais quoi ?

— Il ne me quittera pas.

— Et tu crois qu'il t'aime assez pour venir s'installer au Québec ?

Sèchement, tu as répondu que tu préférais raccrocher. Jean-Phi a dit OK. Vous vous êtes salués sans les mots d'affection, les blagues habituelles. En déposant le combiné, tu as soufflé d'exaspération. Et tu es partie, pressée de te lover dans les bras de Julien.

QU'UNE FOIS

— Mais c'est arrivé juste une fois... ! Et encore, je sais même pas si ça compte...

Après l'échographie, Julien t'avait trompée. Il n'avait pas fait exprès, mais il n'avait pas pu refuser. Son frère descendu à Paris, il l'avait accompagné à la représentation d'une pièce de théâtre dans laquelle jouait un ami. C'était une comédie pas si mauvaise, mais que Julien et son frère auraient vite oubliée, n'eut été de leur visite en coulisses. Récemment divorcé, Benjamin a salué les actrices d'un ton sans équivoque. L'une d'elles, un peu rousse, coupe garçonne, s'était retournée pour le détailler. Leur ami commun les a présentés. Sauf que c'était avec Julien qu'elle rirait. Une certaine Marie, les cheveux blonds, s'est approchée et Julien, bon prince, a distribué à l'une, un bon mot, à l'autre, une blague courtoise. Quand elles les ont invités à dîner avec la troupe, Benjamin a su que c'était dans la poche. Entre les deux frères, cela avait toujours été comme ça : Julien charmait les filles et Benjamin réglait la note.

— Ah non, tu peux pas partir maintenant !

Devant le restaurant, son frère l'a supplié de rester. S'il s'en allait, les filles risquaient de partir aussi. Julien comprenait que Benjamin veuille passer la nuit avec cette rouquine. Pour faire plaisir à son frère, il s'est joint au groupe. À table, il a fait de l'esprit, ça lui venait sans effort, il a raconté ses histoires, mis en valeur son frangin, bref, il a fait rire l'assemblée. À sa gauche, assise trop proche, Marie lui caressait les cuisses alors qu'il commandait une crème brûlée. N'en pouvant plus, il s'est levé pour aller aux toilettes. Elle l'a suivi et l'a forcé, oui, forcé à recevoir ses hommages, coincé entre le lavabo et la porte de bois. C'est par politesse qu'il ne l'a pas rembarrée.

Dans la salle des profs, accoté à ton bureau, dos tourné, Julien se confiait à l'un de vos collègues. Tu l'as surpris à dire qu'il avait complètement merdé. Si Béa l'apprenait, oh la la ! Il a secoué la main. Julien a gloussé qu'en plus, la fille ne lui plaisait même pas. Le collègue t'a regardée par-dessus son épaule. Julien s'est retourné.

— Oh, Béatrice... Comment tu vas ?

Tu as gardé le silence en pointant la pile de copies sur lesquelles Julien avait posé sa main. Il l'a retirée, tu n'as toujours rien dit et tu es partie enseigner.

Le soir, Julien a voulu tout t'expliquer en insistant sur le fait qu'elle avait été pitoyable, question fellation. Il le disait comme une sorte de compliment. Devant ton regard noir, il a cédé que, oui, bon, pas que la fellation : toute cette histoire était pitoyable. Pour la première fois depuis la salle des profs, tu as lâché un mot.

— Minable.

— Pardon ? Oui, enfin. Minable, pitoyable : on est d'accord.

— Non, *tu* es minable.

N'ayant rien à ajouter, tu lui as demandé de partir. Julien tentait à nouveau de se justifier. Cela n'avait rien à voir avec toi, cela n'avait même rien à voir avec lui. Tout ça, c'était la faute de Benjamin, qui l'avait entraîné. Il te jurait cependant que cela ne se reproduirait pas. Julien pleurant presque, il t'aurait fallu le consoler. Au lieu de quoi, tu ouvrirais la porte. Le visage défait, Julien est parti en te jetant un dernier regard, suppliant. Tu as refermé.

Le pire, c'était encore que tu avais été prévenue.

L'HÉRITIER

C'était un garçon que tu attendais, tu en étais persuadée. Quand tu pensais à lui, tu lui prêtais les cheveux de valet de ceux dont tu avais été amoureuse. À chacun de ses âges, tu voyais ce fils que tu attendais avec une joie pleine. Et pourtant tu avais été saisie d'un vertige en montant dans l'avion. Les moteurs tournaient dans tes oreilles. Tu sentais s'évanouir le rêve et la galère de ta virée au canal Saint-Martin. L'école t'avait laissée partir avant la fin de l'année, mais Julien avait dit que rien, pas même toi, ne l'empêcherait de te suivre. Tu ne pouvais tout quitter. Avec ton petit pois, c'était un peu de Paris que tu portais dans ton ventre, que tu ramenais à Montréal.

Au sortir du terminal, tu étais sous le choc d'un horizon trop grand. Ce que c'était le ciel, tu l'avais oublié, le bleu sans point de fuite et l'étendue des toits. Te détaillant de la tête aux pieds, ta sœur trouvait que tu n'avais pas changé. Au moment de la prendre dans tes bras, ton ventre vous tiendrait éloignées. Vous

vous êtes reculées. Ta sœur faisait des mines pour que passe l'émoi. La voyant s'épancher, Jean-Phi la tirerait vers lui. Elle a caché sa tête dans le creux de son cou en disant que ça avait assez duré, la France. Elle s'est détachée de Jean-Phi pour te prendre tes sacs et t'a demandé si tu le savais. Tu as répondu que non.

— Non ? Comment tu fais ?

— J'ai pas besoin de demander, c'est un garçon, j'en suis sûre.

— Donc tu sais comment tu vas l'appeler ?

— Pourquoi pas Jean-Philippe ?

Jean-Phi a éclaté d'un rire faussement joyeux. Ce ne serait pas un cadeau à lui faire. Tu t'es approchée pour lui faire la bise. Il t'a embrassée, distraitement, les pieds rivés au sol. Puis il s'est retourné et vous l'avez suivi jusqu'à la voiture. De Dorval au canal de Lachine, Jean-Phi s'est contenté du rôle du chauffeur. C'est à peine s'il te saluerait en repartant du condo.

Dans l'ascenseur, tu as su qu'il était venu te chercher seulement parce que Véro le lui avait demandé.

À VISAGE DÉCOUVERT

Tu as respiré d'aise à retrouver Montréal les premiers jours de beau temps, 25 degrés en avril. Euphorie générale : le monde était à nouveau peuplé de visages. On étendait la neige pour qu'elle fonde. Les filles étaient assises au soleil dans les escaliers. Aux terrasses, on enfilait les pichets de sangria. Bientôt, on sortirait les hibiscus et les paniers en pot. Ton ventre devant toi et tes pieds gonflés, tu ferais claquer tes sandales sur le trottoir de la rue Boyer.

Chez Maité et Jeff, on t'a couverte de baisers et de petits cris. Trop longtemps privée d'excitation, tu buvais l'absence de retenue. Cela t'enivrait. Tu t'es excusée que ta robe ne soit pas seyante. On t'a rétorqué qu'une femme enceinte était toujours belle. Maité t'a regardée d'un air qui disait qu'il ne fallait pas t'en faire. Sans un mot, Jean-Phi t'a versé du jus de pommes dilué pour mimer le vin blanc. Puis vous êtes passés au salon.

Jean-Phi s'est assis dans le sofa en croisant ses jambes trop longues. Il attendait que tu passes aux aveux, mais tu cherchais le fil dans tout ce qu'il y avait à raconter. Tu as fixé les pales qui tournaient au plafond pour dire que tu t'excusais et que tu te rendais : il avait eu raison.

— Julien...

— Je sais. Il m'a l'air immature.

— C'est bien ça, le pire. On ne peut pas lui en vouloir.

— Pourvu que tu en sois consciente...

Jean-Phi grattait le bord de la table en coin. Que Julien te soit infidèle, on se doutait que cela arriverait. Mais, toi, tu vivais dans le souvenir d'un autre homme que celui dont tu portais l'enfant.

— Et Christophe ?

— Quoi, Christophe ?

— Qu'est-ce qui lui arrive ?

— Il doit être marié à l'heure qu'il est.

— Ça durera pas.

— Comment tu le sais ?

— J'ai rien dit.

— Tu parles comme Véro, maintenant.

Jean-Phi a ri comme s'il s'agissait d'une vieille blague entre vous.

— Je sais. Il faut toujours qu'elle ait le dernier mot.

— En tout cas, Véro t'a sûrement raconté, mais je te le dis : Christophe reviendra pas.

— Si tu le dis.

— Tu peux me croire. C'est quand même mon histoire…

C'était ta sœur qui t'avait poussée dans les bras de Christophe. Ta sœur que tu avais imitée en partant. Ta sœur qui, chaque fois qu'elle le croyait nécessaire, intervenait dans ta vie *pour ton bien.* Jean-Phi s'est levé, a posé sa main sur ton épaule et t'a dit :

— Ton histoire ? C'est pas une histoire, Béa, c'est ta vie.

Jean-Phi a tapoté ton épaule. Un sourire fraternel, puis il est parti en se disant qu'un jour, peut-être, tu t'en apercevrais.

RÊVER SA VIE

Vous avez passé la porte au son de la clochette. « C'est pour lui ? a dit le commis. Mais il est pas encore né ! » Il avait, lui aussi, l'accent de là-bas. On ne pouvait marcher sur le Plateau sans tomber sur un Parisien. Aussi as-tu répondu comme à ta boulangère du dixième arrondissement : « Ce sera tout, merci. »

À l'arrière de ton vélo, tu avais fait remplacer le cageot de lait par un support pour bébé. Véro poussait la monture en te rappelant le temps béni où les Français ignoraient qu'on parlait leur langue outre-Atlantique. C'était avant Roch Voisine – quand vous chantiez *Incognito* derrière vos lunettes fumées. À l'époque, les Français à Montréal étaient de vrais pionniers. Aujourd'hui, c'était trop facile. Air France aurait bientôt sa navette desservant le Plateau. À l'arrêt, des panneaux indiqueraient l'emplacement de la Boîte Noire et de Monsieur Painchaud.

— D'ailleurs, quand est-ce qu'il arrive, le papa ?

— Il prépare son déménagement.

Le soir où il te reviendrait, il ferait chaud encore. Tu étais jolie, avec tes cheveux de jeune maman dans l'été fleuri. Tes voisins prenaient l'apéro sur le balcon de devant. À l'heure des riches, huit heures, tu entendrais la sonnette comme une bonne réponse. La main sur ton ventre, tu crierais : « C'est papa ! »

Tu te souviendrais longtemps de ce moment où il t'est apparu dans le rose du soir. Ses pieds foulant le tapis de l'entrée, tu pressentais que quelque chose était terminé. Tu as passé ta main sur sa joue pour le saluer. Vous gardiez le silence dans le temps suspendu. Le vol l'avait fatigué. Toi, c'était la vie qui te laissait épuisée dans le cadre de la porte. Tu pensais à tous les détours que tu avais suivis, de Christophe à Paris, pour te mener à cet instant où se tenait devant toi celui que tu n'attendais pas. Tu mesurais l'ampleur du temps, à te perdre et à chercher. Julien tirant derrière lui sa valise dans les marches de l'escalier, tu l'aimais malgré tout. Il avait déconné, mais il ne t'avait pas laissée partir, lui, il t'avait poursuivie.

Dans ta plénitude, tu voulais qu'il ne reste rien du passé. Tu oubliais toute beauté hormis celle de Julien penché sur ton épaule à siffloter l'air qui t'avait suivie. Maintenant que tu étais rentrée, maintenant que tu l'avais, cet amour de constance, tu as réalisé que tu avais laissé derrière toi un pan de ta vie. Ce n'était ni la jeunesse ni l'innocence. Peut-être cette façon que tu avais de te jeter entière. Mais tu garderais toujours l'illusion qu'il ne sert à rien de vivre si l'on ne rêve pas sa vie.

Béatrice (bis)

Du plan d'eau, on t'a vue passer dans une file d'adeptes de cardio-poussette. Ta queue de cheval battant à chacun de tes mouvements, tu courais, sautais, criais en t'aidant du landau. Quand vous vous êtes arrêtées, tu as bu et l'eau a coulé de ta gourde sur ton menton. Tu t'es penchée vers Arnaud et le cœur t'a serrée. Tu n'étais plus une enfant.

Au premier juillet de l'été d'après, vous avez quitté ton appartement aux murs de brique et aux planchers qui craquent. Le jour où vous déménageriez, des touristes italiens vous feraient poser dans l'escalier en colimaçon. Vous vous êtes installés dans un duplex à Rosemont. Julien enseignait l'éducation physique. Avec le temps, on l'entendrait faire sonner le québécois en fin de phrase. Quand il parlerait, ce serait avec des « là », des « ts », des « dz », mais des sacres trop bien articulés.

Ton fils était d'une fragilité triste. Dans la gravité

de ses yeux gris, tu retrouvais un peu de la mélancolie de Christophe. Cela blessait Julien. Parce que tu le comprenais mieux que son père, Arnaud te prenait souvent dans ses bras en te serrant si fort que cela t'inquiétait.

Très tôt, il voudrait partir. Tous les étés, Julien l'emmenait à Dieppe. À douze ans, il voudrait rester pour y faire son lycée. Du côté des Dumas, on se montrait ravis. Michèle t'avait appelée pour te dire que son petit-fils avait sa chambre dans la maison au toit plat. Arnaud insisterait tant que tu finirais par accepter. L'année suivante, il la passerait en France.

Vous iriez le conduire à l'aéroport, tu pleurais. Tu perdais ton grand garçon. Pendant que Julien enregistrait les bagages, tu as vu passer une silhouette au dos droit. Tu as reçu *un signal.* Tu étais sûre, c'était Christophe grisonnant. Tu as pensé à le rattraper, mais Julien t'a pressée vers la sortie. Tu as volé quelques secondes, attendu, espéré qu'il se retournerait pour lui envoyer un signe de la main. Mais son dos a disparu au loin.

Julien parti skier dans les Alpes, ton fils vous a rejoint, ta sœur et toi, à Londres pendant les vacances de Noël. Dans un hôtel de l'East End, le 24 décembre, il t'arriverait coiffé d'une chapka. En lui faisant la bise, tu lui as demandé où il l'avait dégotée. Un homme dans l'Eurostar la lui avait donnée. C'était un Français installé à Montréal qui, chaque 23 décembre, revenait voir sa famille pour les fêtes. Il se rendait aujourd'hui chez sa sœur près d'Exeter. Il était ingénieur.

Tu as regardé ton fils et quelque chose s'est décroché. C'était Christophe que tu voyais, son ironie triste dans les yeux qu'il posait sur toi. Tout à coup, tu t'es dit que ç'aurait dû être lui. Ç'aurait pu être son fils. Ç'aurait dû être Christophe qui vous rejoignait, Arnaud et toi, dans un hôtel de l'East End.

Tu as chassé cette pensée. C'était ton fils et tu l'aimais. Mais en caressant sa joue, un geste que tu avais fait tous les jours de sa vie, tu as touché Christophe. Arnaud a détourné la tête. Étranglée par les mots qui restaient dans ta gorge, tu t'es replacée sur ta chaise.

En silence, vous avez attendu Véro dans le lobby.

TABLE DES MATIÈRES

‹ SÉRIE QR ›

AMALVI, Gilles

AïE ! Boum, poème-fiction, 2008

BERGERON, Mathieu

La suite informe, poésie, 2008

BERNIER, Claude

Ju, poésie, 2005

BOILY, Mathieu

Cœur tomate, poèmes, 2012

BORDELEAU, Érik

Foucault anonymat, essai, 2012

BOTHEREAU, Fabrice

Pan-Europa, poésie, 2005

BOUCHARD, Hervé

Mailloux, roman, 2006

Parents & amis sont invités à y assister, roman, 2006

BREA, Antoine

Méduses, roman, 2007

BRISEBOIS, Patrick

Trépanés, roman, 2011

Chant pour enfants morts, roman, 2011

CHARRON, Philippe

Supporters tuilés, poésie, 2006

COBALT, Loge

Guillotine, poésie, 2003

COURTOIS, Grégoire,

Révolution, roman, 2011

CLÉMENS, Éric

L'Anna, roman, 2003

DAVIES, Kevin

Comp., poésie, 2006

DE GAULEJAC, Clément

Le livre noir de l'art conceptuel, dessins, 2011

Grande École, récits et dessins, 2012

DE KERVILER, Julien

Les perspectives changent à chaque pas, roman, 2007

DIMANCHE, Thierry

Autoportraits-robots, poésie, 2009

DUCHESNE, Hugo

Furie Zéro, bâtons, poésie, 2004

DUFEU, Antoine

AGO – *autoportrait séquencé de Tony Chicane*, récit, 2013

FARAH, Alain

Quelque chose se détache du port, poésie, 2004

Matamore n° 29, roman, 2008

FROST, Corey

Tout ce que je sais en cinq minutes, fictions, 2012

GAGNON, Renée

Des fois que je tombe, poésie, 2005

Steve McQueen (mon amoureux), poésie, 2007

GENDREAU, Vickie

Testament, roman, 2012

KEMEID, Olivier, Pierre LEFEBVRE
et Robert RICHARD (dirs)

Anthologie Liberté *1959–2009 :*
l'écrivain dans la cité – 50 ans d'essais, 2011

LAFLEUR, Annie

Rosebud, poèmes, 2013

LAUZON, Mylène

Holeulone, poésie, 2006

Chorégraphies, poésie, 2008

LAVERDURE, Bertrand

Sept et demi, poésie, 2007

Lectodôme, roman, 2008

LEBLANC, David

La descente du singe, fictions, 2007

Mon nom est Personne, fictions, 2010

MIGONE, Christof

La première phrase et le dernier mot, 2004

Tue, 2007

MORIN, Alexie

Chien de fusil, poèmes, 2013

NATHANAËL

Carnet de délibérations, essai, 2011

Carnet de somme, essai, 2012

PHANEUF, Marc-Antoine K.

Fashionably Tales, poésie, 2007

Téléthons de la Grande Surface, poésie, 2008

PLAMONDON, Éric

Hongrie-Hollywood Express, roman, 2011

Mayonnaise, roman, 2012

POULIN, Patrick

Morts de Low Bat, fiction, 2007

RÉGNIEZ, Emmanuel

L'ABC du gothique, fiction, 2012

RIOUX, François

Soleils suspendus, poèmes, 2010

ROBERT, Jocelyn

In Memoriam Joseph Grand, poésie, 2005

ROCHERY, Samuel

Tubes apostilles, poésie, 2007

Mattel, ou Dans la vie des jouets de la compagnie de John Mattel, il y avait des hommes et des femmes, fictions, 2013

ROUSSEL, Maggie

Les occidentales, poème, 2010

SAVAGE, Steve

2 x 2, poésie, 2003

mEat, poésie, 2005

SCHÜRCH, Franz

Ce qui s'embrasse est confus, poésie, 2009

De très loin, fiction, 2013

STEPHENS, Nathalie

Carnet de désaccords, essai, 2009

TURGEON, David

Les bases secrètes, roman, 2012

VINCENT, Dauphin

Têtes à claques, poème narratif, 2005

WREN, Jacob

Le génie des autres, proses théâtrales, 2007

La famille se crée en copulant, proses, 2008

< POLYGRAPHE >

ARCHIBALD, Samuel
Arvida, histoires, 2011

BAEZ, Isabelle
Maté, roman, 2011

BOCK, Raymond
Atavismes, histoires, 2011

COPPENS, Carle
Baldam l'improbable, roman, 2011

GRENIER, Daniel
Malgré tout on rit à Saint-Henri, nouvelles, 2012

LEBLANC, Perrine
L'homme blanc, roman, 2010

ROY, Patrick
La ballade de Nicolas Jones, roman, 2010

‹ ERRES ESSAIS ›

ARCHIBALD, Samuel,

Le texte et la technique : la lecture à l'heure des médias numériques, 2009

BOURASSA, Renée,

Les fictions hypermédiatiques : mondes fictionnels et espaces ludiques, 2010

CARPENTIER, André,

Ruptures : genres de la nouvelle et du fantastique, 2007

CHASSAY, Jean-François,

Dérives de la fin : sciences, corps et villes, 2008

FARADJI, Helen,

Réinventer le film noir : le cinéma des frères Coen et de Quentin Tarantino, 2009

GERVAIS, Bertrand,

Figures, lectures – Logiques de l'imaginaire, tome I, 2007

GERVAIS, Bertrand,

La ligne brisée – Logiques de l'imaginaire, tome II, 2008

GERVAIS, Bertrand,

L'imaginaire de la fin – Logiques de l'imaginaire, tome III, 2009

HUBERT, Karine,

La création cannibale : Svankmajer, Lautréamont, Kemper, 2012

NAREAU, Michel,

Double jeu : baseball et littératures américaines, 2012

TILLARD, Patrick,

De Bartleby aux écrivains négatifs : une approche de la négation, 2011

< OVNI >

BOUCHARD, Hervé

Mailloux, roman, 2010

BREA, Antoine

Méduses, roman, 2010

Fauv, novella, 2010

Papillon, novella, 2010

FARAH, Alain

Quelque chose se détache du port, poésie, 2009

Matamore n° 29, roman, 2010

FOUCARD, Daniel

Civil, roman, 2011

GAGNON, Renée

Des fois que je tombe, poésie, 2009

LOSZACH, Fabien

Turpitude – le grand complot de la collectivité, poésie, 2010

POZNER, Daniel

Pft !, poésie, 2010

ROCHERY, Samuel

Odes du Studio Maida Vale, poésie, 2010

THOLOMÉ, Vincent

La Pologne et autres récits de l'Est, roman, 2010

Achevé d'imprimer au Québec
en novembre 2013 sur papier Enviro Édition
par l'imprimerie Gauvin.